倉持仁の「コロナ戦記」

早期診断で重症化させない医療で
患者を救い続けた闘う臨床医の記録

［著］倉持仁
インターパーク
倉持呼吸器内科院長

泉町書房

はじめに

「患者さんを治すためなら命がけでやれ」医療の師匠に教わったこと

2020年9月20日 午後9：15

第2波後ツイート（以下も引用は倉持ツイッターから）

倉持仁
@kuramochijin

「私は単純でばかです。でも、師匠には医学的に正しいなら患者さんの為にお前の命をかけなさい、と教えて頂きました。ＰＣＲは医学的、社会的に必要です。実現には一般の皆様の力が必要です。医療者、政治家、観光、飲食みんなの力も必要です。＃拡散希望

「命がけの治療」というのは、私が東京医科歯科大学在学中に指導していただいた、吉澤靖之先生から学んだことです。のちに東京医科歯科大学の学長になる吉澤先生は、一見こわもてで怖い人に見えるのですが、患者さんとその病気に真摯に向き合う医師であり、研究者です。呼吸器内科が専門で、臨床にも研究にも死に物狂いで取り組む方でした。第2章で詳しく述べますが、先生から学んだことは私の医師として常に守るべきマインドになりました。

それは「患者さんのために命をかけなさい」「医学的に正しいことをしなさい」「経験を元により

よい方法を考えなさい」の3つです。この3つのマインドからしたら、今回の新型コロナウイルスにおける日本の医療状況は到底受け入れられるものではありません。

2020年3月の第1波では、37度5分の熱が4日間続かないと保健所でPCR検査が受けられませんでした。その影響で医師の治療が受けられず自宅で不安に過ごす患者さんが続出しました。検査も病床も足りず、医師が医療に介入できずに重症者が急増、一気に医療が崩壊しました。その状況は第5波に至るまでまったく改善されていません。

政府が動かないなら、自分でやるしかない。私は、肺炎の治療経験を豊富に積んだ呼吸器内科医として、治療できない患者さんをゼロにしようと動きだしました。

私は、栃木県宇都宮市でインターパーク倉持呼吸器内科というクリニックを開業しています。2020年2月に当院でコロナ感染疑いの患者さんを初めて診たときから、できることはなんでもやってきました。

PCR検査はもちろんのこと、SNSを有効活用し、全国で治療にたどり着けない患者さんを病院とマッチングさせるツイッターアカウント「発熱外来サポートデスク」を作りました。自院に入院病床を作り発症から中等症まで診る体制づくり（9月中旬には重症病床まで作りました）や後遺症のフォローアップ外来、地域の飲食店や旅館への感染対策も……。

ほかにも臨床医しかできないことを研究者と連携して進めています。国立遺伝学研究所や東京大学の医科学研究所、母校の東京医科歯科大学や国立感染症研究所と患者さんのデータを共有して、速やかにウイルスの特性を解明する研究体制を作りつつあります。第3波以降、軽症から入院した中等症の患者さんまでを通しで診ることで、新型コロナの臨床像（症状と治療法）が見えてきました。どの治療薬に効果があるか、投薬のタイミングはいつか。２０２１年の2月に入院患者を受け入れてから試行錯誤を重ねてきました。新型コロナウイルス感染症は、できるだけ早く治療に介入できれば、重症化を抑えられる、もう怖くない病気だとわかってきたのです。

しかし、政府は薬を広く投与できる体制を整えることなく、病床の確保も十分にしないままま、強烈な感染力を持つデルタ株による第5波感染爆発を迎えてしまいました。政府はこれまでの悲劇を教訓にできなかったのです。

2021年8月15日 午後9：10
第5波渦中ツイート

私が子供だった頃クラスに1人ぐらい裕福な子しかハワイにいけなかった。誕生日近くの中華料理店に家族で行くのが楽しみだった。40年後の令和の時代に薬がない、入院できない、なんて事になるとは予想外。皆が等しく病院にかかり必要ならすぐ入院できた。こんな国に誰がした！

2021年8月15日 午後9：48
第5波渦中ツイート

今起こっている事は車に轢かれても、溺れていても、受け入れ先がないからそのまま血だらけでもそのままそこに残し、水中に戻す、ような事です。現場で対応している医師看護師救急隊保健所皆、現実の有り様に絶望している。この事実を広く知らしめ、外出を抑えることしか今はない。

政治早く仕事をしろ

第5波では感染しても、医療を受けられない自宅療養者等数が全国で135859人（9月1日厚労省発表）に達してしまいました。

「苦しんでいても医療が受けられない、このまま死んでしまうんじゃないか……」

日本の現状は、そんな地獄のような日々を過ごしている患者さんを、何人も放置し死なせてしまうという、とんでもない状況です。発症4日目で亡くなった自宅待機者、入院先が見つからず自宅で5日間待機した後、搬送先で死亡した方……。どれだけ苦しい思いをして亡くなっていったのか。日本が誇ってきた国民皆保険制度が崩壊したといってもいい、非常事態を迎えています。

臨床経験や論文データを基に患者さんと向き合うことを最優先にして、正しい治療法を見つけるのが、学生時代から積み重ねてきた私の臨床医としてのやり方です。治療が受けられず亡くなった患者さんが続出するのを、ただ指をくわえて見ているわけにはいきません。「医療」を施しさえすれば、救える命はあるのです。患者さんはここまで苦しまずに済むのです。

この本を書く目的は、もはや新型コロナウイルス感染症は、一刻も早く適切な治療をすれば、患者を死なせないで済む疾患であることを多くの国民に知ってもらうこと、その治療体制を全国的に速やかに構築できるように働きかけることです。

2021年8月3日に私がテレビで、菅前首相や小池都知事に辞任勧告をしたのも、ツイッターやテレビで発信を続けるのも同じ考えからです。ただ、それだけではどうしても断片的にしか伝えられません。この本には、私のこれまでの歩みや医療哲学も含めて、どうしていち開業医の私がここまでして発信し、患者さんのために突っ走ってきたのかを、書いてみようと思います。新型コロナウイルス感染症のパンデミックから1年半が過ぎました。助かるはずの命を失わせてしまう絶望は、もういりません。今度こそ、それを防ぐための準備を、国を挙げてしていくべきです。コロナ禍の私のツイッターを交えながら、現場の状況とともに私の新型コロナとの闘い、治療を阻む壁と闘い続けた足跡をしるしていきます。

この本で読者の方々と問題意識を共有できたら幸いです。

新型コロナウイルス感染症から患者さんを守る、医師としての私の活動はまだ続きます。

目次

第4章

「新型コロナウイルスパンデミック」関係年表

2020年	1月	6日	中国・武漢市で原因不明の肺炎。厚労省が注意喚起
		14	WHO 新型コロナウイルスを確認
		15	日本国内で初めて感染確認　武漢市に渡航した男性
		31	新型コロナウイルス感染症が「指定感染症」に
	2	3	乗客の感染が確認されたクルーズ船 「ダイヤモンド・プリンセス号」横浜港に入港
		13	神奈川の80代女性死亡 感染者死亡は国内初
		17	厚労省 受診・相談の目安を公表 「37度5分以上が4日以上、強い倦怠感や息苦しさ」等
		27	安倍首相　臨時休校要請し現場が混乱
	3	6	厚労省　PCR検査を医療保険適用へ
		11	政府「緊急事態宣言」可能にする法案 衆院内閣委で可決
		11	WHO「パンデミック」表明 19日「隔離と検査が不可欠」各国に対策強化求める
		23	永寿総合病院　初の感染者確認。 のちに患者や職員ら計214人が感染、患者43人が死亡
		24	東京五輪・パラリンピック 1年程度延期を決定
		29	志村けんさん死去 新型コロナウイルスによる肺炎で
	4	1	安倍首相 全国すべての世帯に いわゆる「アベノマスク」を2枚ずつ配布の方針表明
		6	安倍首相　「PCR検査1日2万件にする」と明言
		7	7都府県に1回目の緊急事態宣言 「人の接触 最低7割極力8割削減を」
		16	「緊急事態宣言」全国に拡大 13都道府県は「特定警戒都道府県」に
		16	厚労省　PCR検査体制強化へ 必要に応じて専門外来設置を地域の医師会に要請
		23	俳優の岡江久美子さん(63) 新型コロナウイルスによる肺炎で死去
	5	15	政府 緊急事態宣言 39県で解除 8都道府県は継続
		25	緊急事態の解除宣言 約1カ月半ぶりに全国で解除
	6	18	WHOステロイド薬デキサメタゾンで死亡率低下と発表
		19	濃厚接触の疑い通知するアプリCOCOA利用始まる。 すぐ不具合多数
	7	2	東京都　小池知事「夜の街、控えて」 新規感染者が107人と急増を受けて
		22	「Go Toトラベル」キャンペーン始まる (東京都は対象外。10月1日から対象に入る)
	8	24	東京 世田谷区 10月から介護事業所など全職員対象にPCR検査実施へ(※2021年9月から一部停止)
	9	16	安倍内閣総辞職　菅政権へ
	11	12	政府 第3波の到来を受け、「より踏み込んだクラスター対策へ」 飲食店への取り締まり強化
	12	1	大阪の市立病院 感染拡大による看護師不足でがん治療など一部の病棟閉鎖
		2	栃木 那須塩原市で入湯税引き上げ 財源でPCR検査実施
		3	大阪「医療非常事態宣言」重症患者の急増で
		3	北海道 旭川市　吉田病院でクラスター。 214人の感染が確認され、うち患者39人が死亡
		10	東京都 新型コロナ 65歳以上の感染者確認 第2波の倍近くに
		25	コロナ変異ウイルス「アルファ株」空港に到着の5人感染 検疫で初確認

2021	1	8	首都圏の1都3県　緊急事態宣言発出　13日、栃木県なども追加
		14	自宅療養中に悪化し死亡が相次ぐ 東京 神奈川など4都県で7人
		24	「Go Toトラベル」感染者増加に影響した可能性 京都大学のグループ発表
	2	10	厚労省　接触確認アプリ「COCOA」トラブル 調査チームで検証へ
		14	厚労省 米ファイザー製新型コロナワクチン 国内初の正式承認
		19	医療従事者4428人がワクチン接種
	3	2	神戸市　独自調査で検体の約15%がアルファ株と判明
		12	国交相　変異ウイルス流入阻止へ　入国者上限1日2000人に
		21	政府 首都圏1都3県の緊急事態宣言解除
		30	厚労省 職員 23人が送別会　参加者の過半数が感染
		31	大阪府「まん延防止等重点措置」適用を国に要請 全国で初
	4	5	「まん延防止等重点措置」大阪、兵庫、宮城に適用
		12	高齢者へのコロナワクチン接種始まる
		13	大阪府で重症患者数が病床数超える 医療提供体制が深刻な状況に
		20	政府　「まん延防止等重点措置」神奈川・埼玉・千葉・愛知に適用
		21	厚労省 新型コロナ接触確認アプリ「COCOA」の修正版を公開
		25	政府　東京 大阪 兵庫 京都に3回目の緊急事態宣言
		28	アルファ株「急速な広がり」大阪 兵庫 京都8割超 東京5割超
	5	12	政府　愛知県と福岡県にも緊急事態宣言「まん延防止は8道県に拡大
	6	2	沖縄県感染拡大で病床ひっ迫 診療制限の動きが
		18	尾身茂会長ら専門家有志の会が「東京オリパラは無観客が望ましい」と提言
		20	政府　沖縄を除き緊急事態宣言解除
		22	五輪大会組織委 東京五輪会場での酒類の販売や提供を検討していたが批判浴びて撤回
		24	宮内庁長官「天皇陛下 五輪開催で感染拡大 ご心配と拝察」
	7	12	政府　東京都に4回目の緊急事態宣言
		21	デルタ株感染の50代以下の患者急増
		22	4月の「超過死亡」19都道府県で増加
		23	緊急事態宣言下の東京オリンピック 開会式
		28	東京の自宅療養者が1カ月前の5倍に 全国で1万人超
		30	政府　4府県に緊急事態宣言を追加、5道府県にまん延防止適用へ
	8	2	菅首相　「重症患者やリスク高い人以外自宅療養」と方針打ち出す
		6	政府「中等症以上の人は原則入院」として方針を変更
		8	東京オリンピック閉会
		10	自宅療養で重症化した都内の50代患者、120の医療機関で受け入れられず
		13	東京都 新型コロナ 5733人感染確認 過去最多
		14	「抗体カクテル療法」東京都が宿泊療養施設でも開始
		16	沖縄本島の重症者病床すべて埋まる、酸素投与の中等症病床も
		17	東京都　「酸素ステーション」240床余り整備へ
		19	千葉県　自宅療養中の妊婦 受け入れ先見つからず早産で新生児死亡で検証の意向
		24	東京パラリンピック開会
		26	モデルナのワクチン 一部に異物混入 約160万回分使用見合わせ
		26	「抗体カクテル」外来診療でも投与へ
		27	緊急事態宣言21都道府県に拡大
		29	千葉市でパラリンピック「学校連携観戦」 引率の中学教諭など6人コロナ感染
	9	1	厚労省「自宅療養者等数」全国で13万5859人に
		2	コロナ変異ウイルス「ミュー株」国内初確認　ワクチンの効果に影響も
		3	菅首相　次期自民党総裁選に不出馬を表明

倉持仁医師（インターパーク倉持呼吸器内科院長）
「コロナとの闘い」の足跡

2020年	2月	はじめて新型コロナ疑い患者を診察
	3	保健所から指定され、帰国者接触者外来担当に。 保健所から依頼され、PCR検査の検体を採取する
	5	民間検査会社にPCR検査委託開始
	6	東京医科歯科大学との共同研究により 宇都宮市の1000世帯を無作為に抽出し、コロナウイルス抗体検査
	8	ツイッター上でコロナ発熱外来サポートデスク立ち上げ
	9	コロナ感染者フォローアップ外来を開始
		那須塩原市とPCR検査で協力する体制を構築
	10	講演依頼を受けた鹿沼市立粟野小学校に 給食用衝立と縦長の衝立、各10組を寄付
	11	国立遺伝学研究所・川上浩一先生と協力し 新型コロナウイルスのゲノム解析共同研究を開始
	12	PCR機械を購入し自院でPCR検査を開始
2021年	1	PCRセンター宇都宮、那須塩原稼動
	2	コロナ専用入院病床（10床）が完成
	3	コロナ軽症～中等症患者の受け入れ開始
		自費によるコロナ抗体定量検査を開始
		参議院予算委員会公聴会「新型コロナウイルス感染症対応（医療・ワクチン接種体制）で公述人（尾身茂先生と共に）としてコロナ対策の意見を述べる（16日）
	4	PCRセンター浜松町、水戸、大宮稼動
	6	コロナ病床を6床追加建設
	8	コロナ専用テント病床（10床）で外来診療、抗体カクテル療法開始
	9	重症コロナ患者用病床開設
	10	重症コロナ患者用病床稼働

第1章

ドキュメント第5波

「現場の惨状を見てください。菅前首相に辞任を突き付けた理由」

2021年8月3日 午後1：30
第5波渦中ツイート

倉持仁
@kuramochijin

誕生日だから怒るのやめようと思いましたが、皆保険制度をオリンピックをやりつつ放棄し、指定感染症の法を放置。この人に政治を司る資格なし！すぐやめてください。

2021年8月15日 午後9：48
第5波渦中ツイート

ありえない。重症者のみの入院に制限すれば多くの人命が失われる。真っ当なコロナ対策をしてこなかった挙句、国民皆保険制度を自ら破壊し国民の命を奪おうとしている。こんなことはたとえ総理大臣だとしても絶対に許してはいけない。自民党内の〝自助〟をすぐに、はやく！

無責任すぎる首相と都知事の「自宅放置容認」発言

8月3日に放送された夕方のニュース番組『Nスタ』（TBS系）に出演した私は、菅義偉前首相と小池百合子東京都知事について、こう述べました。

「お二人がおっしゃっていることと言うのは、私が医療現場にいるものとして聞こえたのは、『国民に真っ当な医療体制は供給しませんよ』というメッセージだと思うんですよね。ですから、こういう人たちに国を任せていてはですね、国民の命は守れませんから二人とも至急、お辞めになったほうがいいと思います」

テレビでのこの発言は反響を呼び、当日夜には東京五輪の話題を抑えて「倉持先生」がツイッターのトレンド1位にランクインしました。その日も続出した日本選手の金メダルより話題になったわけですが、それだけ第5波の感染急拡大に対する国民の不安、政治の無策に対する怒りが大きかったのだと思います。

私がテレビで怒りを爆発させたその夜、厚労省が発表した「新型コロナウイルス感染症患者の療養状況、病床等に関する調査結果」（8月4日0時発表）では、全国の自宅療養者等数がもう45269人に上っていました。

テレビで話した「お二人がおっしゃっていること」というのは次のような内容でした。まず小池都知事が7月28日の会見で、自宅療養者もパルスオキシメーター（酸素飽和度を測る機械。肺から酸素をしっかり取り込めているかが数値化される）や健康観察、酸素吸入の装置も準備しているとしたうえで、「自宅もある種病床のような形でやっていただく」と語り、8月2日には菅首相が「重症患者やリスクの特に高い方には確実に入院していただけるよう必要な病床を確保します。それ以外の方は自宅での療養を基本とする」とコメントしました。

最初にこの人たちの話を聞いたときにはあ然とするしかありませんでした。政治家は、五輪をやっても感染拡大をコントロールできると言って、緊急事態宣言下の東京で五輪を開催したわけですよね。それなのに感染者が増えて、医療の対応が難しくなってきたら患者を平然と放置するとは、無責任にもほどがあります。
そもそも都知事が言う酸素飽和度を測ることは、その先の医療がなければ意味がありません。酸素吸入は対症療法であり、治療効果は望めません。まさに患者放置です。
デルタ株は私が診てきたこれまでのコロナの患者さんと比べても、重症化するスピードが猛烈に速くなっています。CTを撮って肺炎の影がなくても、つまり軽症でもそれから早い場合で3日後、4日後に肺炎が重症化してくるケースが多くみられます。

2021年8月2日 午後1:11
第5波渦中ツイート

本日途中経過です。80件公費 陽性20名 陽性率25%もうだめです。

2021年8月2日 午後3:13
第5波渦中ツイート

コロナ病床稼働の許可がおり、本日より10床から16床に増床します。

現場を知らない政治家

感染規模もこれまでとは違います。クリニックの入院病床も、いままで全部埋まることはなかったのですが、初めて全床稼働することになりました。8月2日のツイッターにも書きましたが、医療現場はもうこの時点で限界に来ていました。首相が〝患者切り捨て〟発言をした次の日の8月3日には栃木県で139人、東京で3709人、全国で12017人の感染者が出ました。東京ではこの日、自宅療養者が一気に増えて、14000人を超えました。

臨床現場で入院病棟も作って患者さんを治療している医師から見れば、厚労省の現在の重症度分類（19ページ図）は不十分です。実際に中等症Ⅱ（肺炎で呼吸不全あり）で治療に介入しても、間に合わないことが多いです。デルタ株では軽症とみられる患者さんもあっという間に重症化します。政府が急いで承認した治療薬・抗体カクテル療法でも、発症から8日目以降での効果は裏付けられていません。入院患者への投与しか認められていない今の運用では（8月6日現在）、自宅に留め置かれた軽症患者の命も救えないのです。

「重症患者やリスクの高い方」なんてのんきなことを言っている場合ではありませんし、ましてや急激に悪化して息も絶え絶えになる可能性がある自宅療養者に酸素を測れと言っても、寝言を言っているようなものです。

そんななかで、首相や都知事のような権力者が医療の現場をまったく見もせず、知りもせずにコロナ患者を見捨てるような発言をしたので、私はああいう発言をしたわけです。

あの発言がこんなに大ごとになるとは思ってもいませんでしたし、政権批判をするつもりもありませんでした。私は政治的に何党を支持するとかはもともとありません。地元の自民党の議員さんで、親しくさせていただいている方もいらっしゃいますし、コロナ禍でも必要であればその先生に働きかけて、国会で質問していただくこともありました。また、立憲民主党から要請を受け、国会で意見を述べたこともありました。この感染状況にきちんと対応してくれれば何党でも構わないのです。

しかし、自分たちや患者さんを死地に追いやるようなことは絶対に許しません。私は日本国民の多くの方が同じように思い、感じていることを話しただけなので、絶対にこの発言を撤回するつもりはありません。

2021年8月7日 午後8：19

第5波渦中ツイート

こんな状況でオリンピックばかりが流れているのは戦争している国からどこか他の国を見ている様。もうできることはないし目の前の患者さんたちを救うことしかできない。今は緊急事態宣言を一斉に出さなきゃいけない状況です。何人の方が犠牲になれば気付くのか？1週間後が怖い。

一気に病床が埋まったデルタ株の怖ろしさ

東京オリンピック後半になって、当院がある栃木県宇都宮市でも感染が急拡大。8月に入って病床を急速に増やしたつもりなのですが、閉会式前日の8月7日で入院病床が満床になってしまいました。あっという間でした。結果的に自宅療養者を出してしまい、政治家のあの発言を、受け入れざるをえない状況になってしまったのです。無念としか言いようのない事態です。

重症度分類とマネジメント※

	軽症	中等症Ⅰ（呼吸不全なし）	中等症Ⅱ（呼吸不全あり）	重症
酸素飽和度	96%以上	93%～96%	93%以下	
臨床状態	呼吸器症状なし or 咳のみで呼吸困難なし いずれの場合であっても肺炎所見を認めない	呼吸困難、肺炎所見	酸素投与が必要	ICUに入室 or 人口呼吸器が必要
呼吸療法			酸素療法（ネーザルハイフロー等を含む）	挿管人工呼吸／腹臥位／エクモ
抗ウイルス薬		レムデシビル		
中和抗体薬	カシリビマブ／イムデビマブ 抗体カクテル療法・重症化リスク因子がある患者に投与			
免疫抑制剤など			ステロイド、バリシチニブ	
抗凝固薬			ヘパリン	

※あくまで厚労省の「新型コロナウイルス感染症診療の手引き第5.3版」を基にしたものです

7日の午前中まではまだ、大丈夫かなと思って診ていましたが、午後になって一気に患者さんが増えて、病床も埋まってしまいました。コロナに感染して重度の肺炎がある患者さんでも、クリニックの駐車場に待機していただいている状態です。自宅には隔離施設はないので家に帰せません。夜になったら病床が一つ空きそうなのでそれまで待ってもらう、そんな状況です。

土曜日で3連休の初日なので、薬も入ってきません。皆さん、大変なのはわかっています。こんな非常事態ですから製薬会社さんや、医療機器メーカーさんには一部でもいいから対応できるようにしてほしい。

空いているベッドがなくなり、早めに治療が必要な軽症、中等症患者も誰かが退院しないうちは受け入れられません。この先、重症化したら受け入れてくれる病院もない。

ひどく悪くなっても入院できるかどうかわからない、戦争中みたいになってきています。

一方で、さっきテレビを付けたらオリンピックばかりやっていて、こういう危機感というのがまったく国民の間で共有されていないことが、医療従事者としてはいちばんこたえます。

明日8日はオリンピックの閉会式の日ですが、我々はもう、まっとうな医療ができない状況です。栃木県ですらこうですから、東京、神奈川、埼玉などはもっとまずい状況ですし、ほかの病気も含めて通常の病気でも入院ができないようになっていると思います。

今日は、患者さんの波が一気に増えて、1日のなかでもこんなに急にひっ迫してキャパシティの限界を迎えるという、デルタ株感染の恐ろしさを実感した日でした。もう保健所もいっぱいですし、救急車もそう。それでも実際に感染者はどんどん増えていく。

デルタ株の感染は相当、タチが悪い。家族一人が感染すると、確実に家族みんなが感染していきます。当院でも病床がまったく足りないので、家族感染者は同じ部屋に入院してもらってなんとかしのいでいるのですが、感染者数に比べれば数は少なくたかが知れています。明日からもうだめだなという感じです。これから1カ月は苦しくても病院にアクセスできない、自宅で放置される、どうしようもない状況が続くしかないのでしょうか。

2021年8月8日 午後1：37

第5波渦中ツイート

とにかくもう入院できませんし、治療も受けられません。危機感の共有と強い自粛をお願いしま

す。感染を減らせれば通常の医療を提供できますので、今は強い自粛をしてください。今日でオリンピックは終わります。どうかお祭りモードをやめ、強い自粛モードにしてください。

防げるはずだった重症化

第3波、第4波のときは、オリンピックをやっていなかったので、警鐘をならすメッセージが効きました。それで自粛のブレーキがかかったので、先の見込みがあったんですね。第3波のときは1月8日くらいがいちばん大変で、これが続くと、もう無理だなと思っていたところ、次の週から患者さんが減ってくれました。

いまの状況というのは、どうしても五輪をやった結果、誤ったメッセージが発せられて、自粛するというムードがまったく欠落しています。一度、人工呼吸器やエクモまでいってしまうと、それをできる医療機関は栃木県にはほとんどありません。そういった治療は、コロナ前には大学病院でも年間数例くらいしかなかった。一般病院ではとてもできない治療ですから、栃木県でも可能なのはせいぜい20床と言われています。がんばっても30床が限界でしょう。

新型コロナウイルス自体が非常に賢いウイルス。発症後間もない患者さんが、肺炎を起こしていても「ぜんぜん平気です」と言っていることが多いんです。インフルエンザと比べても、医師が病状は深刻だと診断していても、本人は圧倒的に症状を軽く感じているんです。

我々はいままで260例以上の入院患者さんの治療をしてきましたけど（9月21日現在）、症状が出ている段階だともう遅い。感染から発症、重症化までの期間が短くなっていますから余計、感染症に対する基本的医療体制が必要なんです。検査して隔離、治療。濃厚接触者だったら症状がない段階でPCR検査をして、陽性と確定したら診察して速やかに治療に入る流れです。

そういう流れで重症化が防げるということは、半年くらい前にとっくにわかっていたことで、本来であればすぐにCTを撮ったり、血液検査をするなりしてリスク評価ができる体制を構築するべきだった。それなのにいまだに発熱と酸素飽和度と、軽症、中等症、重症といった便宜的に区切られた症状で区分けするということをやっている。

その結果、我々がいちばん恐れていたことがいま現実になっています。自宅療養で受診が遅れ、あっという間に症状が悪化して、病院に来たときは人工呼吸器、エクモです。

2021年8月8日 午前12:22

第5波渦中ツイート

私がツイートしてる事って今日自分で見て体験した事なんです。ただの地方の開業医でコロナちょっとだけ見てて、連休初日にたまたま診療しててそれで今日もうだめだと思ったんです。今は選挙とか総理がどうとかじゃなく、とにかく1人もこれ以上感染者出さないようにするしかどうにもできないんです。

強い自粛しか感染拡大をとどめる術はない。しかし、事ここに至っては、ある程度の犠牲者が出ないかぎりは、そしてその事実を知ったおのおのがまずいと思うことでしか止められないかもしれない。我々もこの1週間で外来患者300人くらいを見ているんです。まったく減る傾向がないんです。正直、電話も出られないんですね。メールも返せません。

首都圏ほか感染が拡大してしまった地域以外の方もとにかく早く自粛モードに入らないと。もう、総理の言うことを聞いていてもまったく意味がない。まったく問題点も見えていないですし、就任当初から大局的な見方ができていなかったので、政治に期待しても何も変わりません。本当に選挙が終わるまで変わらないと思います。

どこを切り捨てて、どこを分けていかないといけないのかを考えると非常に気が重い。目の前の患者さんしか救えないのか、自分たちができることを模索していくしかありません。正直もう総理がどうだとか小池さんがどうだとか批判をしている時間もない。まずは早くこういう状況だということを国民の皆様に知ってもらって、自粛してもらうしか、どうしようもない。

2021年8月8日 午後2:07　第5波渦中ツイート

それでも先ほどレムデシビルの点滴が終わった方を退院させ、透析の方抗体カクテル療法で入院して1時間で退院、その後また入院をしていただきます。1日1つのベッドを3人で使う状況です。ちゃんと消毒シーツ替えなどはしていますよ。ネーザルハイフローも開始しました。

2021年8月8日 午後6：02

16名入院中ですが、全員に肺炎があり、全員にレムデシビルを投与し、全員が快方に向かっています。今まで160名ほど入院治療しましたが、早期診断早期治療で幸い重症化率は0％

〝病床フル回転〟で入院治療を続ける

祭り（オリンピック）は終わりました。デルタ株が上陸しているというのに、オリンピックを強行するという、間違った方向に行ってしまった日本。私もかなり絶望的になってしまいました。明日から対立ではなく、医療が必要な人にも医療提供ができないという現実を皆で考えて、一人ひとりができることをやるしかない。私も治療ができずに困る人を少しでも減らすために目の前の問題に立ち向かいます。

ネーザルハイフローは鼻に差し込んだ管から酸素濃度や湿度を調節して、大量の酸素を送り込める治療法です。人工呼吸器一歩手前で、患者さんを踏みとどまらせ回復させることを目的としています。

臨床医としては今持っている武器を最大限使用していくしかありません。それは使い方次第で効果を発揮します。点滴薬のレムデシビルと炎症を抑えるステロイド（デキサメタゾン）の〝合わせ技〟による投薬治療は、重症化する前の患者さんに効果を発揮してきました。ツイートしたようにこの時点では早期治療、早期診断で重症化率ゼロ。

レムデシビルは、もともとエボラ出血熱の治療目的で作られました。ウイルスの複製に関係する物質を阻害する効果があるので、ウイルスの増殖を抑えられます。昨年5月に承認され、日本でも新型コロナウイルス治療薬として投薬されてきた点滴薬です。

7月に承認された点滴の抗体カクテル療法もフルに活用しています。

皆さん、ツイートを読んでお気づきでしょうか。1日に1つのベッドを3人で使う状況って、いったいどういうことかと思いませんか？　これには、2つ理由があります。

1つは、これまでも書いているように入院病床がまったく足りないからです。とにかく短期間で出られる方は出ていただき、新しい患者さんを迎えて多くの方を治療していくしかありません。

もう1つは、薬の運用の問題です。レムデシビルも抗体カクテル療法も、この8月8日の時点では入院患者にしか使えませんでした。ですから、短時間でも入院してもらって点滴を打ち、その後、入院からホテル療養に切り替えてもらう。宇都宮市は基本的には一度、患者さんを入院させて検査、治療するという方針を打ち出しているので、こういう変則的な治療法もできるのです。

少ない医療資源を最大限、活用するためにはこのような工夫をしていくしかない。運用を変えて外来患者にどんどん使っていけば、重症化する患者さんは劇的に減って行くでしょう。本来ならレムデシビルが効果を発揮した1年前に議論して、決めておくべき話なんです。

あまりに政治の動きが遅すぎます。一刻も早く外来で使えるようにしてください。ここまで感染が広がり死者、重症者が増えている状況では、最低限のことができるだけかもしれません。しかし、これからの患者さんが重症化することを防ぐことはできるんです。薬の数が足りないなら、お金を積んで大量に発注すればいい。企業は需要が確実に見込めるなら、それに応えるでしょう。とにかくやることをやってほしい、遅いけど、遅すぎるということはありません。

2021年8月10日 午後5：40
第5波渦中ツイート

2週間隔離を義務、登校就労のルールも必要。今のままで5類にすれば短期的にはコロナ史上最悪のパンデミックが起こる。検査治療ワクチン、法整備が整わなければ困るのは国民。きちんと一つ一つ課題をクリアしてから議論すべき。これは政治問題ではなく純粋な医療問題。現場の声を聞いてください

コロナの2類扱いは最初から有名無実化していた

コロナを指定感染症の2類相当から、5類に変更すべきという議論があります。2類では、患者さんは原則入院で感染症指定病院に入ります。5類は入院勧告や感染者の追跡が不要になります。保健所の負担は減りますが、広く一般病院で患者さんを受け入れることになります。これは現実的なのでしょうか。さらに国民に自粛の要請が出せなくなります。特措法も適用できません。

5類相当にする理由として、一般病棟でも柔軟に対応できるようになると病床が確保しやすくなるとか、医療従事者が患者対応時の重装備をする必要がなくなるとか、患者さんへの対応後に医療者自身の体調管理の期間をとる必要なくなるなどと言う方がいる。

こう言うことを平気で言うのは現場をまったく知らない、臨床経験のない、患者さんの立場に立てない、医師だとしても医師の資格だけを持っている人です。一般病棟でも病床はいっぱいです。医療従事者が重装備する必要がなくなるなんて、感染者を増やし、乏しい医療資源を減らすだけ。また、そもそも最初から政府は2類扱いを有名無実化させていた事実があります。

去年の2月から厚労省は、緊急またはやむをえない場合につき、感染症指定外の病院でも入院させることが可能であるという、文書を出しています。

厚労省はそれに関連して、2020年の3月に「重症化しやすい方以外の方であれば、新型コロナウイルスに感染しても症状が軽いことが多いため、通常の風邪と症状が変わらない場合は、必ずしも医療機関を受診する必要はないこと」や感染の拡大で入院患者数が増大し、重症者の入院医療に支障をきたすと判断される場合は「高齢者や基礎疾患を有する方、免疫抑制剤や抗がん剤等を用いている方、妊産婦以外の者で、症状がない又は医学的に症状が軽い方には、PCR等検査陽性であっても自宅での安静・療養を原則とする」ことを自治体に周知するよう求めた通達を出しています（「地域で新型コロナウイルス感染症の患者が増加した場合の各対策（サーベイランス、感染拡大防止策、医療提供体制）の移行について」2020年3月1日厚生労働省新型コロナウイルス感染症対策推進本部）。

多くの患者さんが入院できていないのだから、とにかく一般の病院にきちんと費用を手当てし、設備を整える補償を出して患者さんを受け入れる方向に持っていくことが大事。だからいま、2類か5類かを議論することに意味がありません。

また、今も重症患者を重視する政策によって、軽症者を放置してかえって感染を蔓延させ、結局重症者も増やしてしまうという悪循環が続いています。それもこの文書を見てわかるように、第1波の厚労省の政策から始まっていることを強調しておきたいと思います。

検査数を増やし、変異株検索やそれに沿ったワクチン供給をきちんとする。治療薬を外来で使えるようにする、自粛の法整備をするなどができないうちに市中に感染者を放ったら、想像もできないパンデミックが起きます。

2021年8月14日 午後6：26
第5波渦中ツイート

お盆休みの医療機関も多く、コロナ患者さんも増えており不満に思うのは理解できますが、クレーム対応している時間がさらに他の方の待ち時間を延ばしてしまいます。ノークレームで是非お願い致します。

2021年8月14日 午後7：40
第5波渦中ツイート

いまさら、と思わざるを得ないですが、ことここに至っては仕方ありません。当院でも重症病床1床と、外来で点滴でき酸素が吸えるテント10床準備中です。間に合うかわかりませんし、人手も足りません。9月から稼働できるよう準備中です。でもお盆でオーダーが出せません。

思わず手を挙げた重症病床建設

患者さんには申し訳ないのですが、お盆休みに入ってから本当に患者さんが増えてきて、待ち時間が長くなっています。年中、休診日なしで全力で診療しています。苦情を言う方のお気持ちは理解できますが、我慢していただければと思います。

とうとう、当クリニックでも重症病床を作らないとならない事態に。政治に文句を言ってもしょうがない、できることをやるしかないという気持ちです。借金は増えます。テント内ですが、重症化させないための外来スペースも作ります。

栃木県でコロナの患者さんを入院で見ている病院長会議がときどきあるんですね。その会議の中で、済生会宇都宮病院の小倉先生という、私より10歳ぐらい若い先生で、県内すべての重症例を引き受けてどの病院に入れるかを差配している方がいます。

その先生がその会議の席で、こう切り出

2月にコロナ病床を建設、10床で患者受け入れを開始。6月に第4波に備え、6床の病床を増床する。医療が受けられない人をひとりでも少なくするために——

したのです。

「ぶっちゃけ言いますけど、エクモを回せる重症病床がもういっぱいなので、エクモまではいかないけど、そこに到達する前の段階でなんとか粘ってくれる、医療機関、ありませんか？」

しかし誰も何も言わない。人工呼吸器が必要な患者さんを受け入れてくれる医療機関がとにかく必要だという、悲痛な叫びに誰も応えないいんです。それを見ていて私はとにかく頭に来たので、手を挙げたんです。私のところがいちばん小さなクリニックなので、私が手を挙げればほかのところもやらざるを得なくなりますから。もう言ってしまったのでやらざるをえなくなったわけです。

2021年8月11日 午後11：53

第5波渦中ツイート

7歳と5歳になる息子たちから、パパなんかちょっと有名らしいね、何してんのと言われました。何もしてません！ はやくねろ！

言ったからには突貫工事で準備を始めました。重症患者さんの病状管理に関しては、問題ありません。我々は呼吸器内科医なので、大学にいるときから実際に大学の集中治療室で、呼吸状態が悪い患者さんのことを診てきた経験はありますから。ここでは、人工呼吸器が必要な重症患者さんを診ることになります。

エクモを扱った経験はないので、そこにつなぐ役割をさせてもらいます。私が手を挙げたあと、ほかの病院の人も「そうなったら診ますよ」という雰囲気になったのでよかったです。

また借金は増えてしまいます。銀行から「いくらでも貸しますよ」と言われたのですが、いや、そんなに借りても返せないんで無理ですと、返事をしましたが……。やれる範囲でやるしかないですね。

人口約200万人の栃木県で、エクモを回せる病院は自治医科大学付属病院と獨協医科大学病院、済生会宇都宮病院の3つしかありません。医療救急体制は脆弱で東京みたいにいっぱい大きな病院があるという状況ではない。ここ10年くらいかけて日本では、最重症の患者さんは集約して診るような医療体制の構築がなされてきたので、病床は減っていました。療養型の病院が増えていて、こういう緊急時には弱い医療体制ですので、少しでも力になれればと思います。

2021年8月13日 午後8：02　第5波渦中ツイート

7／31入院患者さん26人中25人がデルタ株、96％がデルタ株です。

2021年8月13日 午後9：49　第5波渦中ツイート

今どこかわからない国から空爆を受けているような日本。血だらけで手当が必要な人がたくさんいるのに酸素ステーションってなんだよ。空爆を止めさせるのが国の仕事！今すぐこんばんはガースーです、空爆をやめてくださいっていってください。

惨状を見ようとしない政府

たとえはかなりきついですが、いまは車でひいて死んでしまった人を見て、私は悪くない、車が壊れていたみたいなことを言っているようなもの。政治家にはいまそこで倒れていて、血を流して倒れている人を見ろ、現場をまず見ろと言いたいです。見たらすぐにまず必要なものを用意し出せということです。我々のようなクリニックでも、コロナ禍で入院病床17床（うち重症者用病床を1床）を作りました。日本政府になぜそれができないのでしょうか。

うちを見習ってほしいなんていうことは、とてもじゃないけどコロナ前は言えませんでしたが、僭越ながら政府にはあとに続いてほしいと、これくらいは言いたい心境です。

いまは、東京ドームなどにベッドを置くようなことが必要なとき。首都圏に関してはもう手遅れかもしれませんが、人が足りない、足りないじゃなくて、とにかく準備するしか、ひとりでも助ける方法はないと思います。呼吸器内科医以外の医師でもいいので動員してください。

しかしそういう動きというのは、いまの政府にはできない。この1年半、政府はずっと現場の声を聞いてこなかった。疫学的調査と、重症者だけ治療をすればいいという、本来の臨床医療から外れたことを言い続け、やり続けてきたんです。

いまからでもまだ感染爆発していないところは、野戦病院でいいですから、1、2カ月だけ使えるところを準備する。強い危機感を持って、そういう体制を作ってほしい。

いっぽう政府がリーダーシップをとってお金を出すことが必要です。指令を出して予算をつけるのは当然で、政府としてはそれが強い自粛へ向けたメッセージになる。自粛のお願いばかりではなくて、そういう方向に行くように仕向けることも必要。

2021年8月15日 午前10：09
第5波渦中ツイート

第3、4波より相当深刻。オリンピック連休で検査さえ。東京神奈川千葉埼玉入院できた人7376人、自宅ホテル78375人　90％以上が医療を受けられない。皆保険制度の日本で医療が10％も受けられない現状を招いた政治の責任は重い。責任取り今できる事に全力で取り組んで欲しい早く！

2021年8月17日 午後2：34
第5波渦中ツイート

酸素ステーション残念だが意味がない。その前に投薬が必要。未治療で酸素だけをもらい、苦しむ場所にしかならない。そんな地獄で働きたくない、地獄。最大限の危機感をもち病院として機能させてください。為政者が命を軽視し見殺しにする気か！自分もそこに行って現実を見よ！

医療にアクセスできない酸素ステーション

「入院患者は重症患者や重症化リスクが高い者に重点化」するという方針があまりにも評判が悪いので、厚労省は8月6日に扱いを変えました。

酸素投与を必要とする中等症患者も入院対象者にするという。さらに入院の有無は「最終的には医師の判断」としていますが、結局、医師の判断が及ばない患者さんがたくさんいます。入院制限の本質は変わらない。ツイートしたように、日々、死にかけた重症患者が病院に入れず苦しんでいます。自宅療養で亡くなる患者さんがいます。

東京都で8月23日から130床を設けて酸素ステーションの運用を開始しました。これも治療ではないので病床があくまでの〝つなぎ〟にすぎません。せっかく病床を作るなら投薬など医療ができるようにするべきでは。首都圏では入院できる患者さんは10％にすぎません。医療にアクセスできない人を大量に生み出す政策は「国民皆保険制度」を破壊するものです。

新型コロナによる肺炎で苦しんでいる人に酸素をいくら投与しても、よくはならない。入院できないのに悪化すれば、酸素投与だけでは済まなくなり、苦しさは増すだろう。患者はもちろんだが、それをなすすべもなく見守る医師や看護師は、そんなことに耐えられるのでしょうか。

厚労省は13日、抗体カクテル療法をできるようにするために、宿泊療養施設を有床診療所や有床の臨時の医療施設化するという文書を出しています（25日には外来診療でも使用可能に）。

宿泊施設を有床診療所扱いにするなら、ここでほかの投薬も可能にするべき。レムデシビルなども投与できるようにすべき。入院しなくてもインフルエンザのように通院で投薬ができるようになればいいのです。我々医師に早く患者さんを診断させてもらって、治療に入らせてもらえれば、重症化させずに、患者さんを家に帰すことができます。

でも医療のオーダリングシステム（検査、投薬、処方などを同一システムで各関係者に伝達し管理する医療システム）は平時のまま。3連休だと例えば土曜から月曜まで物資が届かない。そういう状況で患者さんが来ても、「あなたはコロナだけど家に帰ってください」としか言いようがなくなってしまいます。そうなると、家族内で感染を広げないように外で人に会わないでくださいと言うしかない。

2021年8月16日 午前10：45
第5波渦中ツイート

リウマチなどで免疫抑制剤、生物的製剤を使用しているとコロナワクチンの抗体が得られないか、低い傾向が見られます。デルタ株から身を守る為、そのような方は自粛を強めてください。

2021年8月17日 午後2：50
第5波渦中ツイート

今薬やワクチンがどれだけ国にあって、ないのならばその範囲で収まるように行動制限を行わなければいけません。国民の医療を受ける権利は今制限されまくっています。命あっての生活、お願いしかできないなら十二分な補償を出して止めよ！それはできるはず。

血圧、骨粗しょう症の薬……医薬品が入ってこない！

当院では、自費検査ですが、体の中にどれくらいコロナのSたんぱく（スパイクたんぱく。ウイルスの表面のトゲトゲの部分で、ヒトの細胞表面にある受容体と結合して感染を起こす）に対する抗体ができているかがわかる抗体価も測っています。ファイザーのワクチンを2回打った、男女20代から90代の157人を調べたところ、抗体ができていない人が7人いました。5％の人が、抗体ができないという結果になります。

抗体がなかった方は全員女性で、年齢は50代から80代の方です。全員に基礎疾患があり、そのうち5人の方が免疫抑制剤を使用していました。そういう方が全員、抗体ができないと断言することはできませんが、一定の割合でワクチンを打っても抗体ができない人がいることは確かです。

ワクチンの数も限られていますから、3回目のワクチンを打つときは、抗体価が下がっている方を優先して打つことが望ましいでしょうね。本当に必要な人を見極めて、科学的に合理的に進めるべきです。

あと、抗体価が15あれば、従来株に感染しにくいというデータがありました。デルタ株に関してはまだわかりません。抗体価を調べる意味としては、抗体価がどれくらいあればコロナに感染しにくいかがわかるということもあります。

ワクチンだけでなく、一般のジェネリック薬ほか、いろんな薬が、流通が悪化したことで入ってこなくなってきています。血圧の薬や骨粗しょう症の薬やリウマチの治療薬も入ってこなくなった時期があります。インドにはジェネリック薬品の一大工場群があるのですが、新型コロナが大流行して機能が停止していた影響があるのでしょう。

重症病床を作るにあたって、人工呼吸器をつける際の麻酔薬が必要になるのですが、麻酔薬のジェネリック薬が足りなくて、もう新しい医療機関には卸せないと断られました。ちょっと高いのですが先発薬品を買わざるをえなくなっています。21世紀の日本で薬が足りなくなるという、まさに戦時だと感じざるをえないできごとです。

2021年8月18日 午前3：48　第5波渦中ツイート

これからYouTubeを始めます。コロナ臨床の現状、問題点、解決策などを発信してまいります。よろしくお願い申し上げます。

ユーチューブ配信を始めた理由

8月18日からユーチューブ配信を始めました。「倉持仁チャンネル」です。医療の現状について最前線でわかったこと、気づいたこと、そして今後、行わなければならないことも提案していくつもりです。できることは何でもやっていくことの一環です。

今、いろいろなメディアで発信しています。出演させていただいているテレビの場合、決められたことを聞かれて答えるだけですし、決められた時間しかないので。思っていることを十分に話すことが難しいと感じています。ストレートに感じていることを言えるのがツイッターですが文字数に限りがあるので、伝わりにくいこともあるでしょう。

言いたいことを伝えられるのがユーチューブだと思うのですが、クリエーターでもない私の話は、それほど長い時間聞きたくないでしょうから、短い時間でまとめるようにしています。

編集はしていませんが、自分でスマートフォンの「iMovie」機能を使ってちょっと文字に色を入れてみたり写真を入れてみたりしています。

試しにやってみたら、そんなに難しくはなさそうなので、1日1回か2回ぐらいのペースで配信していこうと考えています。やっぱり自分の言いたいことをきっちり伝える場であり、現状の記録や記憶という意味合いで必要なものだと感じています。

テレビなどの、一部を切り取られたニュースでは、コロナの現状が一般の人はなかなかわかりづらいと思います。やっぱり現場から伝えると、こういう状況なんだなという深刻さは伝えられると思います。

3カ月くらいはできればいいのですが。テレビに出る前に少し空いている時間があるので、その間の10分弱を利用したりしています。その時間ではどこにも行けないですし、ご飯も食べている場合でもないので、空き時間はユーチューブ収録という感じです。

2021年8月20日 午後4：53
第5波渦中ツイート

濃厚接触者の検査のために来たのだが、実は少し動くと息が切れるとのこと。SpO_2：73%
CTで肺は真っ白、当院満床、重症病床を探してもらい、なんとか受け入れ先が見つかりました。
救急車を呼んでも30分は遅れますとのこと。まだこれでもましなほうなのでしょうか？

いまの状況です。1年半もテレビに出、散々偉そうな事を言いながらこのような事態を招いてしまい、本当に申し訳ございません。もっとできる事がなかったかと忸怩たる思いですが、散々馬鹿にしていた自粛以外今は大切な人を守る方法はありません。本当にすみません。

20代から40代の自宅療養中の死亡者が急増

1年ほど前に『Nスタ』（TBS系）に出演したときに、首都圏のホテル療養の病床数はどれくらい必要ですか、と聞かれて10万ベッドと答えました。そのときはドン引きされましたが、あながち間違いでもなくなってきました。実際に東京都では、入院できている人は約3815人で、宿泊療養者が1807人、自宅療養者が22226人、入院・療養など調整中の人が12349人（2021年8月18日時点。「東京都コロナウイルス感染症対策サイト」より）です。入院できず、まともな医療が受けられない人が約35000人もいます。

自宅療養者に関して9月1日時点でも全国で135859人、宿泊療養者19624人と増え続けています（厚労省「新型コロナウイルス感染症患者の療養状況、病床数等に関する調査結果」より）

基本的に、感染者が増えたら病床を増やすという運用でやってきたので、急激な感染拡大には追いつきません。結果的に犠牲者が出ないと増えない仕組みになっています。

ここにきて、20代から40代の自宅療養中の死亡者が増えてきました。

8月2日に死亡しているところを発見された東京都の30代男性は、基礎疾患もなく亡くなる前日に軽い肺炎と診断されPCR検査を受けていました。次の日に自宅で死亡が確認され、死因は新型コロナ感染症と発表されました。7月25日に1回目のワクチンを受けていたそうです。

8月12日には都内で、親子3人で感染して、自宅療養していたうちの40代母親が死亡。女性には糖尿病の基礎疾患がありましたが、10日に陽性がわかったあと、軽症と判断されていました。15日に自宅で亡くなった神奈川県の20代男性は、12日に発熱し、15日に倒れていたところに家族に発見され病院に搬送されましたが、死亡。肥満で高血圧を患っていたそうですが、コロナと判明したのは搬送中の検査によるものです。

17日には千葉県で自宅療養中の30代妊婦さんが出血し、入院調整中に自宅で早産。赤ちゃんが亡くなるという痛ましい事例もありました。

ここまで医療がキャパオーバーをしてしまうと、強烈な自粛以外に方法はなくなってしまいます。きちんと補償をして人の動きを止めるしかない。テレワークができない職種もあります。お金がないならそういう人は死ねということ?

自分にもっと力があれば、日本中で自分の臨床経験を生かして、感染者の命を救うことができたかと思うと、情けない。18日のツイートはそういうことです。でもまだ、負けていられないと、思い直してYouTubeを始めた次第です。

YouTube視聴者に言いたいことは、とにかくいままでMAXひどい状態だということ。いままでよりも、強い自粛をしないと、残念ながら大切な人の命をたくさん失うことになってしまう。とにかく感染拡大しないようにより強力な自粛をお願いしたいと思いますね。

2021年8月20日 午後9:42 第5波渦中ツイート

ハウス！

都知事なら「パラリンピック」より先に子供の感染対策を

「ハウス！」というのは、犬にいつもの居場所にきちんと帰るようにしつける言葉です。私がコロナ診療を始めてから家に帰れないので、一緒に過ごすパートナーとなっている愛犬ジャックに言う言葉です。このときは小池都知事の記事のリンクを貼ってツイートしたのですが、それは都知事のやろうとしていることがあまりにひどいと思ったからです。

この感染爆発のときに都知事が、東京パラリンピックに小中高生が参加する「学校連携観戦プログラム」を進めていました。パラリンピックを見ることは「きわめて教育的価値が高い」と述べたのです。デルタ株は子供にも感染が広がっているのに、学校単位で長距離を移動させるなんて、教育もなにもあったも

感染予防のために家に帰れない私のパートナーとしてともに過ごす、愛犬ジャック（雄）、ポメラニアン。いつも元気です。「ハウス!」と言えば、ちゃんとわかります

のではありません。

都知事なら子供の感染対策をきちんとやってほしい。学校での衝立設置、エアロゾル対策の換気、感染の広がり方の追跡やモニタリングシステムの構築などやるべきことはたくさんあります。というのも子供に感染が広がっても子供の医療体制というのは大人より脆弱なんです。

これまでは感染しても症状があまり出ないからといって、小児科でPCR検査をする態勢がありませんでした。そもそも小児科を標榜する施設自体が減っているところに、通常でも子供の患者さんが押し寄せていますから、動線を分けることは無理ですし、1人にかけられる診療時間は短い。ですからクリニックや小さな病院の小児科の現場で検査するなど、コロナ対応ができるかといったらそれは現実的ではありません。

あと小児の入院を受け入れているような大きな病院では、難病の患者さんが多いんですね。白血病や、人工呼吸器が必要な神経疾患、脳の病気の患者さんが入院しています。急に感染者が増えたからといって、病床をコロナ患者のためにすぐ空けるという運用には、そぐわない医療体制なんです。

子供に感染が広がったらやっぱり最低限、プレハブでも何でもいいから病床を作って、そこで働く人は一時的に募集する運用をしないと追いつかないでしょう。

2021年8月23日 午後9:00 第5波渦中ツイート

もうこれ以上重症者医療に頼ってはいけない。重症患者さんをみてくださっている医療者の方々はずっと休みなく働いてくれています。コロナ前からずっと。まだ頑張れると言う最前線の声、頼もしいし全力で応援します。しかし、今は感染者の絶対数を減らさなければだめです！

2021年8月24日 午後7：11 第5波渦中ツイート

入院も重篤な方が増え、外来も目一杯で、検査も夜中の12時までやっています。もうヘトヘトですので、どうか感染者がこれ以上増えませんように！

2021年8月25日 午後10：21 第5波渦中ツイート

明日はひるおび、バイキング、モーニングショー、テレビには出られないので取材で、現場の声、事実を伝えています。今終わりました。テレビばっかりでやがって、というお声もいただきますが、私はばかなので、少しでも感染拡大が収まればと言う気持ちです。いぢめないでください。

薬がない12歳未満をどう救うか

12歳未満の子供たちにはワクチンも打てないですし、治療薬もないんです。

今まで出てきた治療薬って適応がみな12歳以上なんです。レムデシビルも抗体カクテル療法もそうですね。

ステロイドぐらいしかないので、子供に関してもとにかく早く見つけて、早くX線なりCTを撮って厳重に経過観察に入れる体制を作りましょう。そういう体制自体、今の日本にはないですから。9月7日には大阪で10代の男性が亡くなるという、衝撃的なニュースがありました。強い危機感を持たないと同じ過ちを子供たちにも繰り返すことになります。

これまでも、子供が感染しました、入院できませんでした、それで家で亡くなっちゃいました、というひどいことが起こらないと、動けない現状っていうのがずっとありましたから。結局、子供に関しても各自治体頼りになって、自治体の長の能力と考え方によって、受けられる医療の質に差が出てくるんでしょうね。

コロナによって皆保険制度が崩壊してしまって、日本の国の中でもすごく格差が生じてきているという、外国みたいな感じになりかねないと思っています。

2021年8月27日 午後4:30 第5波渦中ツイート

抗体カクテル療法の運用について、県、保健所、病院で調整中です。でも、外来でも使えるようになりました。先程入院中の方2名に無事投与できました。本日の現状について後ほどYouTubeでお伝えします

2021年8月30日 午前11：07

第5波渦中ツイート

テントのコロナ専用外来、コロナにかかり動けなくなった方などで採血をし、点滴をし、と役に立っています。暑いのだけすみません。

テントでコロナ専用外来病床も開始

初期治療に効果を発揮する点滴の抗体カクテル療法の、外来での運用ができるようになり、当院でもテント病床を作って治療を開始しました。薬不足が言われていましたが、4人分までおいておける在庫は、いまのところ常に保てている状況です。

50代の男性ですけど、最初に抗体カクテル療法の点滴をしたあと、咳がひどいので念のためCTを撮ったら、肺炎があった方がいました。

その後入院していただきレムデシビルを使おうかと思っていたんですが、その前に肺炎がよくなったので、抗体カクテル療法が効いたんですね。肺炎で呼吸不全がないということで中等症のIになりますが、それでも効きますね。

厚労省が出している『新型コロナウイルス感染症 診療の手引き』というマニュアルがあって、そこには抗体カクテル療法は重症化しやすい基礎疾患がある人向けと書かれています。しかし、基礎疾患がない30代の女性の方でも死亡している方がいるので、油断できません。厚労省の基準に当たらない方もたくさんいますから、あくまでも医療現場の判断で、不平等のないように早く来た人優先で処方することになります。

結局、あの厚労省のコロナ治療の手引きは十分なものではありません。アップデートはされているものの、いまだ1年前の従来型のコロナに対応しているので、軽症者の重症化リスクについてあまり書かれていません。やはり現場で判断して、どんどん治療していかないことには、目の前の人が救えないのです。

抗体カクテル療法の課題としては、皆さん検査が追いついていないので、発症して1週間から10日たって入院してくる患者さんが多い。そうすると抗体カクテル療法ももうギリギリか間に合わない方もいます。そういう方で肺炎を発症している場合は、レムデシビルとステロイドできちんと治療できます。

早めに診療を受けていただければ、治療の武器と装備がそろってきたと思います。

あとテント外来の課題ですが、換気をよくするために虫が入ってきてしまうのと、その換気の機械の音がうるさくて患者さんに迷惑をかけております。夏場の暑さの問題もありますし、改善に努めてまいります。

これまでPCR検査をされて陽性になった方が一度保健所預かりになり、保険適用かどうか審査したり入院調整をしたりするのに時間がかかることがありました。その間に悪化してしまう問題があったのです。

それもコロナの患者さん専用のテント外来を作ったのでそこに来ていただいて、保健所から連絡が来るまでに抗体カクテル療法だけではなくて、採血したり、点滴したり、肺炎があるかどうかを診るためにCTを撮ったりしています。たとえ自宅待機になっても、外来で医療を提供できる態勢がとりあえずできました。

2021年8月30日 午後11:56
第5波渦中ツイート

今首都圏では減ってきてくれているかもしれませんが、全国に広がる中栃木からでも余力でできることは何かを考え、遠くに居ても医療を供給できる体制を構築します。どこに住んでいようが、医者は患者さんのおかげで存在できています。できる事をすぐ!と思っています。

感染が落ち着いたら、ほかの地域の患者さんを救う医療も行います

第5波では我々もPCR検査や外来診療、入院治療も大変でしたが、ここ4、5日患者さんの数もすこし落ち着いてきました。これから夏休みが終わり学校も始まりますので、子供たちの感染が広がってしまったら、という心配はあるんですが。ほかの地域の方のために何かできないかを考えるくらいの余裕ができてきました。栃木から全国に医療を供給できる体制を作ります。

これまでの状況というのは、感染して熱が出ても検査ができなくて、さらに保健所にも電話がつながらなくて、どうしたらいいかわからなくて。さらにコロナだとわかっても濃厚接触者の追跡もしてくれないし、入院調整もままならなくて、結果として治療が遅れて呼吸不全になるとやっと入

院できるような状況だったんですね。

我々のところでも、1例だけですが小さなお子さんがいらっしゃる30代の患者さんを高度医療機関へ搬送しなければいけなくなったことがありました。幸い重症化はまぬがれましたが、基礎疾患がない若い女性でも受診・検査・治療が遅れれば、重症化さらには死につながる恐れがあるということを強く認識しました。

結局、コロナの問題って各地の医療の体制の問題になってしまって、医療崩壊しても政府は何も手を差し伸べない現状があるわけですね。自治体が何とかしないといけないといっても、感染拡大したら、医療は追い付かなくなってしまいます。

PCR検査は北海道や九州からでも郵送で検査を引き受けることができます。家族や職場などである程度まとまった人数で頼んでいただけたらプール法（人数分の唾液でまとめて検査をして、陽性が出たら改めて個別に検査をする方法。5人分だったら金額は5分の1になる）で安くもできますし。

あとは厚労省も認めている遠隔診療ですね。リモートで診療して薬を送ることもできると思いますから。これからは、非流行地域の医療機関が流行地域の患者さんを救うことも考えていくべきでしょうね。

2021年8月27日 午後9：57 第5波渦中ツイート

おかげさまで、水曜日に病棟を担当してくださる、呼吸器専門医の方をゲットできました。本当

にありがたいです！心より感謝いたします。月曜日、火曜日働ける方、よろしくお願い申し上げます。メールしてください

増やした病床に対応してくれるスタッフを探す

テント外来10床と重症者用病床を1床増やしますが、課題は人手がとにかく足りないということです。それぞれの場所で張り付いてもらう人が必要になりますから。そういうスタッフを確保することにいまいちばん難渋しています。もう走りながらやっているって感じです。

外来に関しては、動かしながら看護師さんを募集して、来てくれた人を当ててみたいな感じです。今日も医師が1人、前から知り合いだった先生ですが「大変そうだから手伝いたいです」と言ってくれました。

週1日ですが、自分が勤務している病院で働きながら来てくれることになります。医師は研究日といって1日休みがある人がいるんですけど、そういう日を利用してきてくれるわけですから、すごくありがたいですね。あとは大学院生の小児科や精神科の先生にも来てもらいます。まだ若くて、一般的な研修をしたばかりなのでひととおり覚えています。コロナの外来だけであれば、問題なく対応できます。もう総力戦ですよね。

重症病床ができるのは、早くて9月の中旬だと思います。内装や電源などの工事類が終わったあとは人工呼吸器やベッド、医薬品などがそろうまで少し時間がかかるでしょう。医師も病床完成までに探すことになります。最悪はいまいる人たちで、まかなうしかありません。

今、医師は私を含めて常勤が2人。外来を担当している非常勤の医師を合わせて、1日あたり3〜4人です。土日も含めての体制なので、結構厳しいです。

病床を増やすことに関しては、特例で自治体が必要だと認めれば、増やせる運用になっています。

根本的には病床削減という政策は変わらないでしょうから、いまのところこの病床は期間限定になるかもしれません。日本では恒久的に予備能力を持っておこうという医療政策はできないものでしょうか。

2021年8月29日 午後8:18
第5波渦中ツイート

何故こんなになるまで感染拡大を放って来てしまったのか?深刻な状況である事を知らない方も多い。発熱外来も検査体制も保健所機能も入院治療も薬も足りない。全て足りない。今の2倍になったとしても足りない。その事実をきちんと知らしめ、感染拡大を抑えなければこれが当たり前になってしまう。絶望

2021年9月1日 午後2:03
第5波渦中ツイート

重症者(人工呼吸器管理できる病床)の整備開始。大型のプレハブ3つピコ太郎します!

2021年9月1日 午後2:07

第5波渦中ツイート

ただの事務所みたいですが、陰圧装置を備えた職員も安心安全にコロナ重症患者さんのケアができるように明日から内装工事に入ります。補助金など出るか出ないかわかりませんが、そんなことは待っていられません。自分がやれる事で必要な事は全てやる！

絶望と、なんとかしなければという気持ちが混在しながら、治療に奔走した2021年8月が過ぎ去っていきました。これまで経験したことのないギリギリの日々でした。

重症病床。下はまだ工事初期。上は内部工事の途中で、観察室と病室のパーテーションです。スタッフ側の観察室が陽圧になり、空気とともにウイルスが入ってこないようになっています

9月1日の全国の感染者は20020人と少しずつ減ってきてはいます。しかし、同日の死亡者数は71人とまだ増えています。自宅療養者も増え続けているので油断はできません。とにかく感染者数を減らさないことには、医療が受けられない方が一定数出ることは避けられないでしょう。感染爆発を起こす前に行動の自粛をすることと、外来や自宅療養者にも投薬などの治療ができるよう、早く政策が変わってくれること

を望みます。

次の章からは、私がなぜ時の首相を批判したり、借金をしてまでコロナ病床を作ったりしてまで患者さんを守ろうとしたのか、医師としての考え方を育んだルーツをたどってみたいと思います。

第2章

「生い立ち」「医学生時代」

～闘う臨床医のルーツ～スパルタの父と「人間を診る」吉澤先生

倉持仁
@kuramochijin

医療とは患者さんのために、医師が必要な事を、責任を持って、患者さんの同意で行う事です。他の原因でなされるべき事がなされないということはあり得ません。もし現状がそうなっていないのならば、批判や言い訳ではなく、全力で良い方向に持っていくことです。それが、患者さんの為になります。

「医者というのは絶対に間違っちゃいかん」と父に怒られて

私は、１９７２年８月に栃木県宇都宮市で生まれました。父親は開業医で整形外科医。厳しい親でした。特に父親が厳しくて。今の時代はあまりないと思うんですが、スパルタ教育を受けました。

私は、地元の中学校を受験して落ちてしまったもので、入学した公立中学では頑張って勉強していたんですね。あるテストで、５教科中３つは１００点、ほかの２つも90点台だったときに父親に思い切り殴られて怒られたんです。

「医者っていうのは、絶対に間違っちゃいけないんだから全部１００点とってこないとダメだ。おまえが医者になるんだったらそれくらいの気持ちでやれ！」と。

そんな感じで、小さいころから医者になるように刷りこまれてきました。うちはそうでもないんですけど、当時の医者には裕福なイメージがあり、社会的にも偉いといわれる立ち位置でした。

父親はほとんど休みなく働いているような人で、患者さんが来ると自分がご飯を食べていようが、途中でやめて患者さんを診に行ってしまう。自分の患者さんから電話が来ると夜中でも行って診てあげたりしていて、僕から見ても大変だと思うことを当たり前にやる父親でした。患者さんに感謝されるのを見て、医者になるのは素晴らしいことなんだと思って、そういう面では尊敬していたんです。

3人きょうだいで兄と弟がいます。兄と弟も医者です。私はそのなかでもどんくさいほうで運動神経も悪いし、きょうだいのなかでも物覚えとかも良くなくて家庭内ではバカだと思われていたんです。だから中学校の試験でも、教科書を全部丸暗記していくような感覚で勉強していました。劣等感が強くて、怒られるとすねて押し入れの中に入って。そうするとまた怒られるような子供でした。怒られるとムスッとして何もしゃべらなくなるような、いじけた性格になりましたね。『ドラえもん』ののび太みたいだって？　そうかもしれません。母親は優しくて、いじけているところに来てくれて慰めてくれました。母には救われましたね。

「患者さんのためだったら進んでなんでもする」という姿勢を父から学んだ

弟が4つ下で、悪いことをしてもなぜか私が呼ばれて怒られていました。兄は放任主義で何も言われない。真ん中だし、自分がどうやったら叱られないで済むか、子供のころはそんなことばかり考えていました。何か損ばかりしているような気がしましたが、そういう環境のおかげで、周りの雰囲気や空気をよく見る性格になったんですね。相手がいまなにを考えていて、どうしてあげたら喜んで、どうしてあげたら怒るみたいなことを常に考えるようになりました。次男体質というんですかね、親が本当に厳しい中での生活ですから。

今ここでこのテストを見せたら怒られるから、あとで出したほうが怒られないとか。当時は本当にびくびくしているような感覚でしたが、この職業についてみれば、周りに常に配慮できるという、医師として必要な性格が形成できたと思います。患者さんとしゃべっていても、こっちでスタッフがしゃべっていて、あっちで別の患者さんが隣の人と何をしゃべっているかを気にすることができるようになったので。聖徳太子ではないですが、複数の状況の把握が同時にできます。患者さんの不満であったりとか心配であったりとか、してほしいことが汲み取りやすい性格になったんですね。

父は昭和55年（1980年）に整形外科の医院を開業しましたが、365日休みなしで診療して、ずっと働いているような人でした。当時でも、地元の医師会では、木曜日は休みにしましょうという時代になっていたのにもかかわらず、それでは患者さんが困るだろうという考えだったようです。父が休みをとって家で寝ているのは見たことがありません。医者の仕事の素晴らしさと大変さ、医療というのは当たり前だけど、ちゃんとやらなきゃダメなんだぞというのは、その厳しい父の働く姿を見て感じていました。医者というのは崇高な仕事で休みもなく、患者さんのためだったら進んでなんでもするというのが普通なんだと。そのことを父からまず学んだのです。

2020年12月2日 午後10：33

第3波渦中ツイート

医学的な正しいことって、去年まで正しかったことが、急に正しくないことになったりするんです。

だから、新しい知識を学びつつ、自分の経験に基づき、ぶれないようにより良い方法を考えて、患者さんのために全力を尽くしなさいと、師匠から学びました。

患者さんをデータや数値だけで診ない。師匠は「人間を診る」診療の名人

地元の宇都宮高校を経て東京で1年浪人して、そのまま地元には戻らずに東京医科歯科大学に入学しました。最初は専門を何にするかを決めずに、研修医のときに、血液内科で白血病の骨髄移植の現場を見たり、外科で開腹手術を見たりしたなかで、惹かれたのは循環器内科でした。心臓カテーテル治療とか手術をしなくても直せる処置の仕方とか、格好よくてあこがれていたのですが、結局、呼吸器内科を専門にすることにしました。

呼吸器内科の吉澤靖之先生という方とその部下の先生がすごく私のことを気にかけてくださった。先生方が非常に期待してくださるし熱心に誘ってくださるので、じゃあ呼吸器内科に行こうと。指導してくださる先生で専門科を選んだ感じです。

今はそういう人はあまりいないのですが、吉澤先生は臨床がすごくできる先生でした。たとえば、気胸という肺から空気が漏れて、肺が破けて縮む病気があります。肺が縮むことを肺の虚脱と言うのですが、我々はX線写真を撮れば状態がわかります。だけど吉澤先生は打診とか聴診だけで、X線写真で見逃すような微妙な肺の伸び縮みがわかりました。週1回の教授回診で聴診すると「おまえ、これ虚脱しているぞ」と。こっちは昨日、X線写真を撮っているから大丈夫ですよと言っても、もう一度撮ってみると確かに虚脱している。ちゃんと診察しろと、よく怒られました。我々の世代は

ＣＴなどに頼ることが多いのですが、先生は聴診器一本で患者さんから情報を引き出す名医でした。

吉澤先生は人間を診るという意味でも能力の高い方で、患者さんのことを本当によく知っていました。仕事の内容、会社で置かれている立場や、奥さんがすごく厳しい人であるとか家庭環境まで患者さんから聞いて、それぞれ頭に入れている。患者さんをデータや数値で見るのではない。患者さんのバックボーンを知ったうえでどういう治療をするかを決めるべきだという治療哲学を持っている方なので、当然ですけど一人ひとりの患者さんとの付き合いが深くなります。

患者さんからしたら、なんでもわかってくれているので信頼できて相談しやすい。お腹の調子が悪いと言ってきた患者さんに対してＣＴを撮って「何もないですから」と、たいして説明もしないで帰してしまうような医師が最近、多くありませんか。それだと不安が解消できない患者さんもいるわけです。

なぜ問題ないのか、その痛みの原因は何なのか、もしより痛みが増してきたときはどういう対処をすればいいのかを、丁寧に患者さんに説明をして、どうしたらこの患者さんは「この先生に診てもらってよかった」と、満足して家に帰れるような診療ができるかを考えなさい、と吉澤先生から教わったんです。そういうやり方が、僕らの〝商売〟なんだと。患者さんとのつきあい方や診断の仕方など実践的なことを学びました。

論文だけですべてはわからない

先生は間質性肺炎という病気が専門だったんですね。この病気は生活習慣や患者さんの生活環境に左右される面があります。居住環境の影響も大きい病気ですから、患者さんのおうちにうかがって家の床下に潜ってカビがないかどうか、鳥を飼っている家庭なら鳥かごのエサや糞の状況まで調べていました。この疾患の治療では、東京医科歯科大学呼吸器内科は非常に有名でしたので、地方からなかなか治らない患者さんが先生のもとに紹介されてくるんです。呼吸器内科研修中だった私は千葉や埼玉に環境調査のためにうかがい、家の中を見させてもらうこともありました。

先生は臨床をきっちりやる一方で、夜8時には寝て、夜中に起き、朝まで論文を読んで勉強しているんです。面倒見がいいので、土日になると入院患者さんの状態を見に行くから来いと言って、私たち病棟医に声をかけてくださるのはいいのですが、回診が朝の6時だと言われて……。「なんだ、おまえ、難しいなら一人で行くよ」と。前の日、遅くまで仕事をしていたときはつらいんですよ。先生はいつ寝ているんだろうというくらい、患者さんに向き合いながら研究も究める方でした。

私がそんな吉澤先生のことをいちばんすごいと思ったのは、大量の論文を読んで知識量がすごいのにもかかわらず、それですべてをわかっていると考えないところなんです。「論文は論文だ」と言って、治療の所見を、常に自分の患者さんの症例で経験したことを元に語るんですね。だからいくら論文を読んでいても実際に患者さんを診断するまでは「俺はわからん」と言うんです。論文を読んで勉強して知っていても、実際に見たことがない症例でなければ、「俺は、これはわからん」と言うんです。

２０１８年にノーベル医学・生理学賞を受賞した京都大学の本庶佑先生が科学誌の論文の9割が嘘で、10年後に残るのは1割だと話されていました。実感としてはよくわかります。今回の新型コロナウイルスの第1波では37度5分の発熱が4日続かないと、ＰＣＲ検査が受けられないという縛りがありました。のちに撤回されましたが、多くの人が治療にたどり着けず、命を落とす方も続出しました。

我々医師は患者さんを直に診断して体感しないと、いくら論文やガイドラインではこうだと書かれていても信用しません。論文と実際は違うことが多いということを経験上知っているからです。論文のデータと私が診ている患者さんとは、人種や体の大きさ、薬効など、違う要素が多すぎる可能性があります。目の前の患者さんがすべてで、そこから正しい治療をしていくことが大事なのです。

海外の学会で言い負かされたら延々と説教

吉澤先生は患者さんだけではなく、学生の面倒見もすごくいい人で私はその中でもずいぶん引き立てていただきました。研修医のときに先生と二人だけで患者さんを診たときでも、お前はどう思うんだと、必ず意見を聞いてくれます。不器用で真面目で一生懸命にやっている人間にはとくに厳しいんですが、それは期待の表れなんです。対外的に学問的なことでは絶対に負けないという意識が強かった。海外の学会でもそれは同じで、我々の教室が発見したことについて論文を発表したときに、それに対する疑問を呈されてひるんでしまったり、言い負かされたりすることがあると、ものすごく怒られて、晩の食事中に延々と説教です。

医師になってほかの病院で働いた後、東京医科歯科大学の大学院に入ったのですが、そこでまた、鍛えられました。年間十数回も吉澤先生にくっついて海外の学会に出席し、自分たちでやった研究発表をいかに相手にわかりやすく伝えるかというトレーニングをさせていただいたんです。

ドイツの学会では発表の前の日まで内容を精査して、全部計算しなおせと言われたことがあります。「いや、先生、今からじゃ無理じゃないですか」といってもダメだと。なんと無茶な、と思いましたけど、今では、ギリギリまで患者さんに最善を尽くせ、最後までいい状態にする努力をせよ、という意味だったと思っています。

そんな厳しい先生ですが、優しい一面もあるんです。

大物患者さんの診察も任せてくれた

二人きりで海外に行ったときには「お前はわからないだろうからここで座って待っていろ」と言って切符を買ってきてくれました。アメリカの学会で、先生が以前、お世話になった元教授の家に泊めてもらったことがあるのですが、大きな肉が大量に出てきてごちそうになるわけですよ。私は目を白黒させて食べているのですが、とてもじゃないけど食べきれません。そうすると先生は「お前は酔っぱらっているんだから、あっちでもう寝てろ。その肉は残すと悪いから」と全部食べてくれたんです。

何よりも私のことをすごく信頼して育ててくれたことはありがたかった。吉澤先生に師事していろんなトレーニングを受けて、治療プランを私が作るようになりました。連携しているほかの科の教授が、倉持君がこんなプランを作ってきたけど大丈夫ですかと、吉澤先生に聞いてきたことがあった。吉澤先生はその教授に向かって「馬鹿野郎、倉持はお前なんかよりよっぽど臨床ができるんだ。ちゃんと話を聞いてやれ」ということを言ってくれたんですね。

あるとき、先生が長年診てきたヨーロッパのある大使館の方が日本に久しぶりに戻ってきたので、診察をすることになったんです。先生はどうしても外せない用事があるからと、お前が行ってくれと。行くとなんで吉澤先生じゃないんだと怒られるんですけど、当然ですよね。よく知らないペーペーが突然来たわけですから。そこで私は患者さんに何をしてあげたらいちばん喜んで安心して帰ってくれるか、懸命に考えるわけです。先生はそういう実践を通して学ぶ機会を与えてくれました。

海外から高山病になったといって患者さんが運び込まれたときとか、立場のある方が亡くなりそうになったときとか、おまえ大丈夫か、頼むぞと吉澤先生に言われたこともありました。ダメですと言えるはずもないので、当然、大丈夫です、と言って診るわけです。そういうときも、先生は信頼して患者さんの管理を任せてくれました。

臨床に関しては、自分がやっていることをちゃんと聞いて学んでいる弟子の一人という認識をしてくれていたようです。なぜ評価されていたかというと、子供時代に培った周りをよく見る力があるとか空気を読んで気が利くところがあったからでしょうね。出かけても先回りして出入り口を確認したりしていました。先生にはそこまでしなくていいよと言われるんですが。

2021年3月6日 午後10：04
第3波後ツイート

さきほど大谷先生から激励のお電話をいただきました。第4波に備え、体に気をつけて、頑張ってください、と温かい、お言葉を頂きました。私に臨床のノウハウを教えてくださった、また、テレビ出演の機会を与えてくださった、先輩です！一緒に頑張ります！

織田信長に仕える豊臣秀吉のような大谷義夫先生

東京・池袋にある池袋大谷クリニックの大谷義夫先生も吉澤先生に学んだ医師で、私の兄弟子に当たります。大谷先生は吉澤先生のカバン持ちをしていて、あうんの呼吸で次に何をするかを手早く察知して準備する、織田信長に仕える豊臣秀吉のような人でした。余談ですが、その大谷先生から2020年の3月に電話がかかってきて「くらもっちゃんならうまくできるから代わりに出てくれませんか」と電話があったんです。それが私のテレビ出演の始まりでした。

大谷先生も、すごく面倒見のいい方です。それは我々後輩に対してだけではなく、当然、患者さんの診察でもとても熱心だったと思います。

恩師の吉澤靖之東京医科歯科大学元学長とその兄弟子の池袋大谷クリニック・大谷義夫先生。患者さんに役に立つ医療を徹底的に叩き込まれた吉澤先生の教室は、とても居心地がよかった。この日話したコロナ対策の結論は「きちんと検査して早期治療を!」でした

大谷先生にも共通していますが、患者さんを満足させる治療を徹底的にするというのは、医師として必要な能力だと、吉澤先生から徹底して叩き込まれました。患者さんの役に立つことをしないと、医療は意味がないんだということを学びました。弟子たちがみんなそういう感覚なので、吉澤先生の教室は非常に居心地がよいものでした。

東京医科歯科大学は患者さんを満足させる医療という意味で、とてもレベルが高いと思います。私もそこを実践して一人ひとりに丁寧に向き合うので、患者さんが一挙に押し寄せる野戦病院のようになっているコロナ禍では大変です。しかし、大谷先生も東

京で頑張っていらっしゃるので、それを励みにして頑張っています。

１９９８年に東京医科歯科大学を卒業して、研修医となり2年間、大学のいろんな内科を回りました。その後、青梅市立総合病院で内科医として2年間、徹底的に、症例を診て専門科を選びます。医科歯科大での今でいう後期研修を終えると、東京医科歯科大学呼吸器内科に所属し、呼吸器内科の勤務医として、いよいよ医師としてのキャリアを本格的にスタートさせました。２００１年のことでした。その後、横須賀共済病院へ派遣されました。

大学院で徹底的にＰＣＲ検査をこなす日々

横須賀での勤務医生活は1年でしたが、一人の医師として臨床経験をかなり多く積ませていただきました。なぜだかわからないけど、上司が、がん患者さんのほとんどを私のところに送ってくるのです。その病院では、肺がんの診断をつける気管支鏡検査を週2回していました。ひと枠で最大5人くらいできるのですが、毎月自分で20～25例をこなすわけです。そのころは本当に忙しくて、おかげでたくさんの患者さんを診させていただいて、症例の経験を圧倒的に積ませていただきました。

通常は5人の患者さんがいれば、4人の医師でそれぞれ担当を決めて診るわけですが、一人で全部受け持ちました。そうすると当然、手技的なものも上手になりますし、がん治療全体の経験も積みます。当時は、肺がん治療でイレッサという薬が「夢の治療薬」と言われて話題になっていました。すごく効く患者さんがいる一方で、間質性肺炎を発症して亡くなってしまう副作用が出ていたんです。

1年間、勤務医をした後、前述のとおり東京医科歯科大学の大学院に入学して、イレッサの副作用について研究することになります。徹底的にＰＣＲ検査をこなしました。それが今の新型コロナの治療にも役に立っているわけです。

なぜ当時、ＰＣＲ検査をしたかというと、イレッサの副作用を抑える研究のためです。遺伝子の一部の、ある成長因子に一カ所変異があるとイレッサが非常に効くことがわかったので、実際に肺がんの患者さんから取ったサンプルをＰＣＲ検査にかけて、その変異があるかどうかを調べました。どのようなサンプルの取り方がいいのか、遺伝子の解析の仕方とかも含めて試行錯誤を繰り返していました。

外注に出せばデータは取れるのですが、吉澤先生はそれではダメだと。だしを取るならだしパックとかも論外で、鰹節でもなく、魚そのものから取らないと納得しないというような先生ですから、ＰＣＲ検査も自分でやって初めてわかることもあると言うんです。おかげさまで、ＰＣＲのこととか、遺伝子解析のことなどは理論を体で覚えたので、ほかの疾患でも応用が利くようになりました。

また、今になって理解できるようになったのですが、人に物を頼む（外注する）場合には自分ですべて理解し、できるようになってからでないとダメなんだということも当時、学びました。

臨床も研究も一流を目指して

大学院では患者さんの診療をしながら、遺伝子の変異を調べるような検査とか、病気の原因物質を探す研究をしていました。吉澤先生は臨床も研究も両方一流じゃないとダメだという先生。大変ですが実際やってみて、両方に精通していないといい医療ができないというのが実感できました。

論文に書かれていることは、客観性はあるのですが、やはりそれが100%の症例に当てはまることはない。例外的なことがあればそれに対応しないといけない。ガイドラインに沿った治療が悪影響を及ぼすことがあるなら、より良い治療は何か、自分の経験、患者さんの病歴や体質、生活環境など、すべてを鑑みて治療法を考えるのが、我々が吉澤先生から教わったスタンスです。

ノーベル医学生理学賞を受賞した本庶佑先生の話を59ページで紹介しましたが、科学や医学というのは新たな発見があったり、のちに間違いがわかったりして常にひっくり返る。

20年ほど前は誰かが倒れていたら心臓マッサージしながら口で人工呼吸するべし、と言われていましたが、今は誰もしません。糖尿病や高血圧の基準も変わります。これは私独自の考えですが、科学的な最先端の情報を元に、目の前の患者さんにとってメリットのある方法を選ぶことが大事。そうすれば間違うことはありません。そのことは医科歯科大の大学院で改めて学びました。

医師としての将来は、臨床医でやっていきたいと考えていました。しかし、吉澤先生の元で研究者の道を歩むこともずっと頭の片隅にありました。当時、東京医科歯科大学は間質性肺炎で最先端の研究ができる大学でしたから。それで海外に一度留学しようとしていたら、吉澤先生がちょうど退官される時期に当たってしまったのです。

同じタイミングで母親が病気になったりして、今まで取り組んでいた研究ができないのなら、実家に帰るのもいいかなと考えたんですね。

それで2008年に宇都宮に戻り、父親が経営している病院に入りました。

第3章

「臨床医として地域で生きる」

～発熱外来をいち早く設置～

倉持仁
@kuramochijin

コロナの患者さんの1入院あたりの保険診療18万円　1日あたりにすると1ベットあたり2万円です。10ベットで20万　人件費だけで赤字です。やるところないに決まってます。今度6室追加してしまいました。早くやめないともちません。早く終息させましょう。補助金早くください。

地域で信頼されている父親の姿を見る

2008年に宇都宮に戻って、整形外科医の父のもとで内科医として働きました。整形外科でも内科医の役割は重要です。お年寄りが手術をするときに体の状態を診て、手術に耐えうるかを判断します。持病の状態によっては治療をもう少ししてから手術するべきだと、整形外科医に進言します。そのような判断を最初から任されていたので、父からは信頼されていると感じていました。医者としては、十分なやりがいをもって仕事ができていたと思います。

その時期には、病院経営のシビアな部分も学びました。薬や備品の仕入れ値から職員の給料をいくら払って、利益はどれくらい出ているかを把握するところから始めました。驚いたのは、父親がボールペンを1本買うに当たっても自分でチェックしていることです。大学や病院に勤務しているときは給料をもらうだけで、何も考えずにいましたが、シビアに利益を出していかないと、個人病院は潰れてしまいます。前のツイートにあるように、新型コロナの対応ではかなり無理をして検査などの機材を購入したり、入院病棟を作ったりしたので、経営的には苦しくなっていますが……。

経営面の勉強以外に、３００人いる職員の管理職としての仕事もここで覚えました。父親がいちばんすごいと思ったのは、職員のご家族が亡くなったときに必ずお葬式に参列するんです。それは時間的にも大変なことです。私はなかなか時間が取れないので事務長に行ってもらったりするのですが、父は職員のおばあちゃんが亡くなったときでも必ずお葬式に顔を出していました。人情の厚さ、義理堅さがあるからスタッフの信頼度が高かったのでしょう。それはとても勉強になりました。診察のときも、患者さんに丁寧に接しているので、信頼されているのが伝わってきました。

そのなかで、自分もせっかく地元に戻ってきたので、地域の役に立ちたいと思うわけですね。そんなときに警察医の仕事の依頼があり引き受けました。この仕事は社会の負の側面を直接に目にすることが多いもので、世の中に対する意識が変わる転機になりました。

社会の影の部分を見た警察医時代

２０１０年から13年までの3年間、宇都宮南警察署管内の警察医を担当させていただきました。管内の人口は約13万人。警察医の仕事は、多岐にわたります。留置されている方の診療や、事故や事件による被害者の検視に立ち会い、死因や死亡時刻の究明を行います。孤独死などの不審死体を視《み》ることもあります。

なにか事件や事故があったときには、パトカーが家や病院に来て連れていかれます。診察中にも警察は容赦なくやってきます。患者さんに「ちょっと待っていてください。1時間くらいで戻ります」と言って出て行って、また戻ることになります。警察が夜中の11時に「死体があるんで」と家に迎えに来て、午前1時に戻ると「実はもう1件出ました」と言われ、そのまま現場に急行。死体を視て現場検証に立ち会っているうちに「次もお願いします」……。自殺であったり、焼死であったり、溺死であったり、孤独死であったり多い日だと、ひと晩で3件もあったりしたので本当にしんどい仕事でした。

警察医をやっていると眠れなくなります。睡眠時間が不規則になるだけではなく、気持ちが病むんです。孤独死のケースでは、お風呂の中でドロドロに皮膚が溶けた死体の検視に立ち会いました。交通事故で脳が飛び出した遺体があり、警察と「このまま、検視していいんでしょうか？」「いや、見つけてこないとだめでしょうね」というやり取りをしていると、別の警官が「見つかりました！犬がくわえていました」ということも。

医者だけではどうにもできない矛盾を感じることもあります。玄関の入り口から家の中の廊下の両側に、いろいろなゴミが積み置かれた家に住んでいる高齢の姉妹がいました。お姉さんが1週間前に心臓にペースメーカーを入れて病院から退院してきました。ベッドの上に姉妹二人分のスペースだけがあって、そのお姉さんは、ペースメーカーだけは動いていますが亡くなっているんです。もうずっと掃除もできなくなっていて、ゴミの山やウジ虫が湧いている中で妹さんが泣いている。

悲惨な生活環境とそこで受けている最高水準の医療のギャップがすごくて、ショックでした。

社会の裏側を見ることも衝撃的でした。覚醒剤を使った人が逮捕されたときも呼ばれるんですが、私が立ち会って採尿し、覚醒剤反応を診る検査をします。ときには、被疑者の髪の毛や陰毛を採取します。それを1本1本紙に貼って、私が母印で捺印して、なぜか私が検体と一緒に1枚ずつ写真を撮られます。尿も一緒に撮られます。夜中の3時にこういうことをやっていたんです。こんな時間にやらなくてもいいんじゃないの？　と思いながら。

毎回放火で捕まってくる人とか、毎年4月に女性の下着を付けて留置場に入ってくる男性とかがいて、社会の異常な面を多く見ることになり、現代社会のどこかに問題があるのではと考えさせられました。

孤独死した遺体の検視にもたくさん立ち会ってきましたが、医師としては、苦しんでいた人に何もできないことに、忸怩たる思いを持っていました。特に印象に残っているのが、先に書いた最先端の医療を受けながら、ゴミの山の中で暮らしていた女性です。医療に意味がないとは言いませんが、それ以前に何かそうならないような体制を作るべきだろうと思ったりして。政治が介入しないとダメでしょうから、警察署の所長さんにも話したりしたのですが、具体策は見つかりませんでした。

それでも住民の孤立をなくす方法がないかと、患者さんで地域の自治会長をやられている方に話を聞いてみました。その自治会長さんも80歳を超えていて、住民から文句を言われながら町内をなんとかまとめている。少子高齢化で核家族化が進んで、一人暮らしの老人や夫婦で暮らしていても孤立している人が多いので困っているというのです。

そういう現実を知ることで私自身が、地域社会で困っている人の力になれることはないのか考えました。その後、かかりつけの患者さんで、自力での移動が困難なお年寄りを病院まで送り迎えをすることや、買い物ができない人に生活必需品の宅配サービスを地域で提供できないか模索しています。

クリニックを立ち上げ、発熱外来を作る

私は、2015年にインターパーク倉持呼吸器内科クリニックという呼吸器内科専門のクリニックを立ち上げました。兄が父の病院を継いだこともあって、自分のやりたい医療ができるクリニックを作ろうと思ったのです。立ち上げと同時に、クリニックの敷地内の別棟に発熱外来を作りました。これは当時、かなり珍しいものでした。

これまで働いていた病院では、毎年インフルエンザで院内感染がおこり、ときには入院患者さんが亡くなるケースがあったのです。なぜそういうことが起きるのかというのを見ていると、患者さんだけではなく病院のスタッフが初めに院内に持ち込んでくることが多くありました。インフルエンザの時期に居酒屋に飲みに行って、持ち込んで院内感染させる例もありました。

だから、発熱外来をつくり、感染症の患者さんをきちんと分けて診療や治療をして、ウイルスを院内に持ち込まないようにするという意識づけをスタッフにしたかったのです。それは、院内に持ち込むリスクがある行為は極力避けてくださいという、スタッフへのメッセージでもありました。

発熱外来の各診療室には、換気システムを整え部屋をまるごと殺菌できる、殺菌灯も取り付けました。銅板はウイルスを長生きさせないというので、壁には銅板を貼り付けました。各部屋は、患

者さんの入れ替えごとに約5分の紫外線殺菌を行っています。

なぜここまでやったのかと言うと、2003年のSARS（重症急性呼吸器症候群）、2009年に世界的に大流行した新型インフルエンザ、2012年のMERS（中東呼吸器症候群）などの感染症が問題になったときに、まず先兵として白羽の矢が立つのは、呼吸器内科の医師だったからです。

青梅や横須賀の病院にいたときもそうなんですが、重症の肺炎になったら危険なので呼吸内科医が疑い患者を診ることになるんです。幸い、いままでは実際の患者さんはいませんでした。しかし、以前は感染対策の不十分な場所で診察をせざるを得なかったので、医療スタッフにとっても、患者さんにとっても、よくないことだろうと感じていました。そこで自分のクリニックを作るなら発熱外来を作って感染対策をしたいと考えたのが理由の一つです。

感染症の流行にあらかじめ備える

もう1つ発熱外来をつくった理由があります。それは、栃木県に戻ってあらためてわかったことなんですが、栃木には多くの企業の工場があるのです。そもそも広い関東平野に位置していて、東京へのアクセスもいいのでホンダ、日産、カルビー、ヤンマーといった大企業が工場を置いています。

そういう企業の方々は、社員の出張もありますし、工場労働者として外国人の方がたくさん勤務しています。企業の人や外国人労働者が海外から帰ってきて、SARSやMERSのような感染症を発症することもありえます。栃木県で開業している呼吸器内科医としては、地域社会に役に立つという意味で、治療体制や設備をきちんと整えておくべきだと考えたんです。それ以来、風邪を含め、ほかの方に感染させる可能性がある疾患（疑いを含む）はすべて発熱外来で診察しています。

近年、海外渡航の増加や地球温暖化の影響により、日本国内へもさまざまな感染症侵入のリスクがあります。先に挙げた感染症以外にも２０１４年のデング熱やエボラ出血熱、２０１６年のジカ熱などが海外では流行しました。

開院以来、毎年インフルエンザ流行期には患者さんを受け入れてきました。咳・痰・だるさ・下痢・嘔吐・発熱・頭痛・咽頭痛などのいわゆる感冒症状では、その原因としてウイルス感染症が常に疑われるため、これらのうち１つでも症状があったら、速やかに発熱外来で診療し検査、そして治療するという流れができていました。これらの診療体制を構築していたことが、その後の新型コロナウイルスの診療に生かされていたと思います。

それにしても、２００９年の新型インフルエンザに関しては日本でも感染者が出ましたが、当時の政府の対応になにか問題があったとは特段、感じませんでした。それまでのインフルエンザに比べても強毒性であり、日本国内で２００人以上の死亡者を出したといわれますが、従来の対応がそのまま適用できたからかもしれません。新型コロナウイルスに関して、政府はいまのところ成す術がありません。感染症対策をきちんととっていたはずの当院においても、その猛威に対抗するには厳しい闘いを強いられています。次章から第１波からの〝苦闘〟を記していきます。

第4章

ドキュメント第1波、第2波、第3波

検査が足りないなら自分でやる！
自院にＰＣＲセンターを開設

第1波

「患者放置」政策のなかで、できる医療を模索

2020年4月9日 午後10:33

第1波渦中ツイート

倉持仁
@kuramochijin

大変まずい状況です。至急しっかり装備した開業医の先生か、発熱外来を市町村単位でつくる。できないなら皆で協力して発熱外来。基幹病院を守らなければとても持ちません。心配、

第1波の臨床軽視から、日本のコロナ対策の失敗が始まっていた

２０２０年2月9日、初めてコロナ患者疑いの患者さんが来院。中国からの帰国者でした。中国で変な肺炎がはやっているという報道が出ていたころで、症状があったので保健所に連絡。コロナ禍で越えなければならない最初の壁が保健所でした。

症状があるのでコロナの検査をしてください、と言うと「いやいやそれはコロナじゃないですよ」

と返してくる。何を根拠にそう言うのかわかりませんが、3時間ぐらいやりとりをしても「いや先生、それはコロナじゃないから大丈夫ですよ」と言って検査してくれません。その次の週の2月17日にもう1人コロナ疑いの患者さんがやってきました。2月14日に感染者が判明した、東京の屋形船に乗っていた人が受診しました。栃木の方でしたが、これはさすがに検査しないとダメだと思い、保健所に連絡をすると、保健所職員はまた「いや、それはコロナじゃないですよ」と言うんです。

当時は湖北省、浙江省しばりというものがあって、武漢市がある湖北省か感染者が多かった浙江省から帰ってきた人に限って検査するという原則でした。感染者が出た屋形船に一緒に乗ったんだから、うつる可能性あるでしょう。といっても検査してくれませんでした。

2月13日には神奈川県で国内初の死者が出ました。14日には北海道、東京、愛知、沖縄などで、新たに感染者が。14日に検査対象を拡大するという政府の意向も発表されましたが、現場でまだ徹底されていません。2月20日には集団感染が注目されていた豪華客船、ダイヤモンドプリンセス号で2名の死亡が確認されました。結局、先ほどの件は、2件とも保健所の人とやり取りした結果「コロナじゃないと思いますよ」と言われ、検査できませんでした。ここでわかったのは、想定されうる病気に対して、まともに検査ができないということ。これは相当にまずいことです。

検査しないで診断はできないし、その先の診療も当然できない。今までの日本ではそんなことはありえませんでした。必要な検査は早くやりましょうというのが医療の常識だったのがガラリと変わってしまったのは、何があったのか。保健所が「2名の医師で検討しましたが、これはコロナじゃありません」と言ってくるのに驚愕。「診てもいないし肺炎のこともわからないのに、あなたたち、何を言っているんですか」と言い返しましたが、非常に強い怒りを覚えました。

臨床医の診断より、患者さんを診もしない保健所の判断が優先される。新型コロナウイルス感染症に対する政府の対応によって、当初から患者さんに医療が介入できなくなっていました。そんな医療不在を引き起こしたのが、湖北省、浙江省しばりに象徴される検査数を絞る政策。37・5度の発熱が4日間続かないと、検査しないというしばりもありました。発熱が4日続いていなくても肺炎を発症することはある。きちんと診察すれば、それはわかるのです。今思えば、この臨床軽視から、日本のコロナ対策の失敗が始まっていました。患者さんが医療にアクセスできない状況が、最大の感染爆発にさらされる第5波まで続くとは、この時点では思いもよらなかったのですが。

医療現場でもアルコールがない

そうこうしているうちに、2月23日に消毒用のアルコールがなくなってきました。これも日本の医療現場ではこれまでなかったことです。もちろん、戦時中などは日常的に欠乏していたのでしょうが、今は戦時か？　メーカーから「もう供給があんまりできません」と言われる。供給できるのは、ひと月に500mlのものを3本だけだという。いやいやそれじゃ患者さんに消毒ができないし。栃木県内で医療現場が困らないようになんとかしてくださいと言って知りあいの政治家に頼んでも、結果として十分に供給されることはありませんでした。

医療をやっていて恐怖を感じたのはこのときが初めてでした。医師を二十数年やってきて、基本的な物品がなくなるという事態は、ありえなかった。アルコールがないなんて日常生活で言えば、水がないようなもの。それがないのにどうにもできない事実を目の前にして、脅威を覚えたんです。

3月11日にWHOがパンデミック宣言を出しました。当院でも患者さんが押し寄せることを想定して備えを始めました。3月2日に診察室にアクリル板のパネルを設置して、コロナの患者さんを専用に診るためのプレハブを発注し、コロナ患者用にポータブルのレントゲン装置を導入。そんな中で、私の東京医科歯科大学時代の先輩の大谷先生から電話がかかってきました。

「くらもっちゃん、今度テレビに出てくださいよ。先生ならうまくできますから」と言われ、わかりましたと答えて、初めてテレビ出演をしたのが、3月9日。BS朝日の『日曜スクープ』でした。

2020年3月13日、保健所から当院が指定され、次の日の14日から帰国者接触者外来担当に。1例目はスペインから帰ってきて発熱している人でした。保健所から打診され、PCR検査の検体を採取するだけの役割。

2020年4月22日 午前10:38

第1波渦中ツイート

コロナとの戦いは、長い。治療薬やワクチンの出現が区切り。コロナがいても普通に生活できる社会に変えていく必要がある。コロナの人が来ても、感染拡大しない、焼肉屋さんとか、個別にも工夫しつつ、政府は全力で貸付融資でなく、補填を！

軽症者はすぐに死なないから検査もしない、陽性でも自宅にいろという論理

帰国者接触者外来というのは、コロナ感染を疑われる人を検査する役割を持ちます。院内感染対策などをきちんとできることも条件になります。発熱外来がもともとあったので、未知の感染症の検査を請け負う医療機関が少ないなか、うちだったら受けてくれるのではないかということで、保健所が依頼してくださったのでしょう。

検査が必要かどうかを保健所に問い合わせるのですが、当時、どこの保健所が担当するのか保健所同士が揉めるケースがありました。たとえば那須塩原市の人が当院に来て検査をしようとしても、宇都宮の保健所の管轄ではないと拒否される。北海道から栃木県に旅行に来て発熱している人が受診し、検査をしようとしても、うちの管轄じゃありませんと。

保健所も、結局運用上どう扱ったらいいかわからなかったのかもしれませんが、ここでも、皆保険制度にのっとった、真っ当な医療が受けられない状況が発生していました。保険料を払って公的医療保険に加入すれば、国民はいつでもどこでも医療が受けられる（フリーアクセス）国民皆保険制度。コロナに関しては初期のころから、その制度から外れることが当たり前という状況でした。

通常、日本の医療では医師が必要と判断したら検査を行い、治療を行い、必要があれば入院してもらう。当然、それも患者さんが同意したらであって、要するに患者さんと医師との信頼関係で医療が行われてきました。医療に関しては保健所が決めることは何一つないはずですが、保健所が大事なことまで決めてしまうことが横行していました。

こちらも納得できないのでＣＴも撮って、そこで肺炎があったらもう一度相談しても、それでも

コロナじゃないと思いますと言われました。そんなおかしなケースが連日続いていました。ばからしいし、何をやってるんだという気持ちが5月まで続きます。指定感染症のルールに厳密に則って仕事を行うことは理解できますが、保健所さんの聞き取りだけでわかることには限界があります。臨床医に任せてくれれば、37・5度の発熱が4日間続いていなくても、基礎疾患があり、透析している方や大家族で高齢者と一緒に住んでいるなど、リスクが高い方の状況を勘案して、この人は検査をしたほうがいいとか、もうちょっと様子をみようとかきめ細かに判断することができます。

検査がなかなかできない当時は、我々も肺炎があるかどうかを、判断の基準にせざるをえませんでした。通常は、PCR検査をしてから肺炎があるかどうかを診るのが、逆をやらざるをえない。自前で検査できるのでまずCTを。CTで肺炎がなければ、軽症でコロナであってもそんなすぐに亡くなったりはしないでしょうから、検査に出さなくてもいいというロジックになっていました。

このロジックの背景にあるのは27ページにある政府の考え方です。初期の段階からあった、重症入院患者の医療のみを重視し、結果的には軽症者を自宅放置することでかえって感染爆発を増大させてしまう間違った考え方です。それは早期検査、早期治療で治せる方法が確立した、第3波から第5波でも変わらなかったため、亡くならなくてもいい命を失わせることにつながりました。

2020年5月11日 午後4：15 第1波渦中ツイート

本日より民間検査会社にPCR検査を出せるようになりました！これで、安心して検査、隔離（治療）ができます！

２０２０年５月11日 午後７：54

第１波渦中ツイート

と思いましたら、直ぐには出せないことが判明しました。ＰＣＲ検査はどこで目詰まりしているか、わかりません、とおっしゃっていますが、はじめから穴の空いていない管のようです。残念、もう少し怒らなければいけません。

２０２０年５月11日 午後８：11

第１波渦中ツイート

検体を取る規定のスワブがない！検体を入れる規定の容器と溶液がない！郵送するのに資格がいる！規定の物品を誰かが買い占め、郵送をしにくくしてる?!

ＰＣＲ検査が目詰まりする理由があちこちに

4月6日に安倍首相（当時）が、1日のＰＣＲ検査数を当時の倍の2万件にすると表明しました。全国の感染者数が２００人台から３００人台になり、第1波の感染者数がピークに向かうころでした。3月6日にＰＣＲ検査が保険適用になって、保健所を通さずに検査はできるようになっていましたが、その数は増えませんでした。当院も、4月から、検査会社との話し合いをする過程で、医療機関は市と契約を結ばないと駄目だという話になり、県からの許可が必要だとわかりました。

そのあと、検査会社も国や県から許可を得ないといけないということで、結局出せるようになったのが、ゴールデンウイーク明け。この間、検査会社とは検査がどうしても必要だとその意義を説明して、検査費用をなんとか安くしてもらいました。これでやっと医師の判断で検査ができるというところだったのですが、そこでやろうとしたら、数々のトラップが明らかになりました。それを1個ずつトラブルシューティングしてつぶしていく。とにかくこのころは、何をやるにも手探りでした。

まず困ったのは、ものがなかったこと。PCR検査で鼻咽頭ぬぐいに使う綿棒（スワブ）や検体を入れる溶液などがありませんでした。日本はモノづくりの国のはずだと思っていたら、何もかも、作っているのは海外で、なんです。第5波後の今は、検査に必要な物品だけでなく、治療薬、ワクチンも海外頼み。インバウンド、インバウンドで日本は足腰が弱い国になってしまったものです。

検体を送るのに資格がいるなんていうことがわかったのもこのころ。その資格というのは、感染性がある検体を郵送するために必要な梱包責任者という資格のこと。感染症の検体取扱マニュアルに、資格を取るための講習を受けよと書かれています。これは年に1回、大きな病院などで開かれる、国立感染症研究所が監督している学習会に参加しないと取れません。患者さんから取った検体を3重に包装するんです。資格を持っている人が包装しないと、郵便局は受け付けてくれないというルールになっています。宅配便の会社では取り扱いができなくて、日本郵政しかできない。感染性のものを適当に送られては困るという感覚から、そうしたのは理解できます。

ただ行政の対応がいい加減。

じゃあその講習会っていうのはどこでやっているんですかっていうのを、厚労省に聞くと、厚労省は「県がやっています」と。県に聞いたら県は「わからないですけど、ちょっと調べます」と待たされて、調べたら「去年は○○病院でやっていました」と。

今年はいつやるんですか？　という質問には「今年はやってないし、今後もやる予定ありません」っていうんですね。じゃあ、この検体を郵送することはできないという話になりますよね。

こういうのも検査の目詰まりの1つ。結局、ルールを作った人も担当している人もみんな違う人が管轄しているので、わかっていないことがたくさんあります。3月11日の国会で野党からPCR検査が増えない理由を問われた当時の加藤厚労大臣ですら「にわかに受け止められないところはある」というくらい運用を分かってなかった。コロナで見えてきた縦割り主義の弊害。

ちなみに今は、マニュアルを読んで保健所に書類を出せば、梱包責任者として認知されます。

2020年5月16日 午後1：47

第1波渦中ツイート

2020年5月15日まで宇都宮市PCR検査数763件うち陽性者19人（陽性率2・5％）うち当院での検査数192件（市の25％）陽性者3人（陽性率1・5％）でした。

手技料わずか50円。検査費用は病院の持ち出しに

第1波において、安倍元首相がPCR検査の1日実行数2万件を目標に掲げながら、なぜ増えなかったのか。その理由はモノの問題のほかにもう1つあります。それはお金の問題です。

検査代が院内でやると1700円と1500円の判断料で合わせて1850円。1検体につき手技料がわずか50円。これに初診料か再診料をプラスしたものが病院の収入です。検査会社に外注すると、ほとんどその値段分を取られてしまいます。感染対策の経費を考えたら、感染対策のためのN95マスクや防護衣で1セット2000円～3000円かかりますから、持ち出しで赤字になるだけです。要するに政府の仕組では、検査を進んでやればやるほど損をすることになります。

これではどこの病院もやりたくないですよね。しかも診療報酬が入ってくるのはもともと2カ月後なので、現金が回らなくなります。しかし検査をして診断するのは医療の原則です。政府にやる気がないなら、自分たちでやるしかない。自院で続けるには……やはり、外注せず自院で検査機能を持つしかない。機械を買うには借金が必要ですが、コストを下げれば自費の人は安くできます。その準備は先になりますが、進めなくてはいけません。

もう1つ、検査費用を都道府県が負担することになっているのも、PCR検査が進まない理由に挙げられます。当然、お金がある自治体、ない自治体で、検査する、しないの温度差が出てきて当然。

令和2年度の第1次、第2次補正予算で「新型コロナウイルス感染症対応地方創生臨時交付金」として自治体のコロナ対策に政府がお金を出しましたが、検査費用に回るお金は微々たるもの。検査能力という点で、自治体による医療の差が如実に出るようになったのが新型コロナ禍の特徴です。

国が37度5分の発熱4日間というしばりを設けたせいで、結果的に検査数が少ないままでしたが、医師でもそれに染まっている人がいました。発熱が2日間で37度5分だからコロナじゃないでしょうと病院から帰されて、周りに感染させている人が多数いたのです。

一見コロナだと思われない人も、診療すると疑わしいことがあります。「ちょっと下痢している人とか、お腹の症状がある人もコロナに感染している可能性があります」と警鐘を鳴らしたツイッターはものすごい反響でした。そういう症状がある人もきちんと検査していくことは必要ですが、広く検査することで費用がかさみます。本来は、国が予算を配分して、不平等をなくさないと自治体によって検査能力に差が出てしまいます。保険料を払っていれば、いつでもだれでもどこでも同じ医療を受けられる国民皆保険制度ですが、いまに続くその崩壊は、第1波から始まっていました。

人口約50万人の宇都宮市で　PCR検査能力が1日12人分しかなかった

このあとわかったことですが、そもそもPCR検査体制が脆弱すぎました。当院がある宇都宮市は約50万人の人口があるのに、市の保健所で検査ができる能力が1日12人分しかありませんでした。もともと人口50万の都市で、感染症の対策をそのスケールで考えていたということです。だから、最初のころは疑い例まで検査をしたのでは追いつきません。とてもじゃないが、キャパが小さすぎます。それなのに、国のスタンスとしては、あくまでも行政検査にこだわり続けたのです。

なぜ、宇都宮市のPCR検査能力が1日12人分しかないとわかったかというと、第1波が終わった後に、市長さんから直接、お礼の電話がかかってきたんです。それは地元の自動車関連工場で感染者が発生したときに数十人分の検体採取をしたあとでした。そのときに、市長さんが「今度から行政検査でももっとPCR検査をできるようにします」とおっしゃっているので、どのぐらいになるんですかって聞いたら、保健所の能力で、1日12人分だったのを36人分にしますって。

人口50万の都市で、1日の検査件数を36人分にして、よしとしているのが第1波のあとだったんです。指定感染症のコロナを入院させる病床も、栃木県ではコロナ前は、1床しかなかったんです。自治医科大が1床持っていただけ。感染症というものは、そのぐらいのスケールで対処すればいい、滅多にはやるものではないというのが、しかたがないのですがコロナ前の日本の状況でした。

行政改革の影響で、保健所の能力を縮小した結果のPCR検査1日12人分。第1波の失敗は、キャパシティがないから、それを広げようというのではなく、キャパシティに合わせてできる範囲でやればいいという方向にかじを切ったことではないでしょうか。その結果、医療にアクセスできずに治療もできず、命を失う方がでてしまったんです。

行政が医療放棄を放任する異常事態。臨床医の立場としては、なんとしてでも医療を受けられない患者さんを減らしていくしかありません。

「はじめに」でも書いた東京医科歯科大学の私の師匠、吉澤靖之元学長の教えが頭に浮かびます。

「患者さんのために命をかけなさい」

「医学的に正しいことをしなさい」

「経験を元によりよい方法を考えなさい」

私の医師としてのマインド3原則を、これからも曲げるわけにはいきません。

Column

第1波の教訓と対策

第1波の最大の問題は、検査→診断→治療という医療の大原則が最初からないがしろにされたことだ。医療の最初の段階である検査が目詰まりした。

検査は指定感染症ということで、保健所が動いてする行政検査なので、医療現場ではなくて保健所が判断すればいいというロジックだった。その判断基準も間違いが多く、中国・湖北省、浙江省しばりや37・5度以上の発熱が連続4日間というしばりがあった。

もう1つ大きな問題は、対応を都道府県単位の対応に任せたこと。PCR検査の費用負担は都道府県。令和2年度の補正予算で都道府県向けのコロナ対策交付金が出ましたが、使途が自由だったので、検査費用にはほとんど回らなかった。

国がPCR検査に予算をつけて自治体の負担を一部だが肩代わりするのは、2021年の1月28日に成立した令和2年度第3次補正予算まで待たなければならなかった。ここで国は検査や感染動向を調査する費用の半分を負担することになった。

また、重症患者の治療を重視し、軽症患者を自宅に放置することでかえって重症者を増やし、医療崩壊を招くという、その後に何度となく繰り返す〝構図〟がここで出来上がってしまった。これらは、全国どこでも、いつでも医療を受けられる国民皆保険制度の崩壊につながった。医療にアクセスできない国民皆保険制度の崩壊は、このあと新型コロナが感染拡大するたびに起きてしまう。

教訓

・第1波で日本の感染症対策の不備が明らかになった
・キャパシティに合わせ、検査対象をしぼることでは、感染の広がりに対処できない
・重症者治療を重視し、軽症者を隔離せず放置すると感染拡大を招く

対策

・自治体に予算を配分しPCR検査体制を充実させる
・民間の検査数を増やすためには、医療機関に対する安すぎる診療報酬を改善
・早期検査を徹底し軽症者を早期に隔離する
・新型コロナウイルスの実態解明、ワクチン、治療薬開発のために国を挙げて科学的なアプローチをする

第2波

やれることはなんでもやる

～全国の人をつなぐ「発熱外来サポートデスク」「後遺症フォローアップ外来」を立ち上げる～

2020年6月6日 午後3：30
第1波後ツイート

倉持仁
@kuramochijin

東京医科歯科大学との共同研究 2020年6月14日より宇都宮市の1000世帯を無作為に抽出し、コロナウイルス抗体検査を行います。（宇都宮市の許可を得ています。）

東京医科歯科大学と共同の抗体検査で実際の感染者数を推測

宇都宮市の抗体検査は第1波と第2波の間くらいに行いました。第1波のときに、検査数を絞って十分な数ができなかったので、感染の実態がわかりませんでした。

第2波に備えるためにも、感染者が実際はどれくらいいたのか推測したかったんです。自分ができる科学的アプローチとして、東京医科歯科大学の後輩で、統計学や公衆衛生学が専門の藤原武男教授に話を持っていったら意見が一致して、やりましょう、ということになりました。

当時、宇都宮の感染者は20人ちょっとしかいませんでした。市の協力で市内1000世帯から無作為抽出して、そのうち753人の方に来ていただきました。

そこで出たばかりのコロナの抗体検査キットを使って抗体の有無を調べました。血液を垂らして測るキットです。東京医科歯科大学に持っていって、抗体量を測ってもらうと、陽性になったことがあるとわかったのは3人でした。

2020年10月にもう一度、同じ検査をしたら、陽性だったとわかった人はやはり3人で、6月と同じ人でした。この検査での陽性率は0・4%。

それにクリニックまでの来やすさとか、どこの地域に属しているかというアクセスのよさや家族構成をチェック。家族がいればみんなで行こうと言って検査に来てくれるけど、お年寄りひとりだったら来られないなどという属性を鑑みて、統計学的な補正をかけると、1・23%くらいの感染率でした。

この割合から、宇都宮市の人口518610人（6月1日時点）で感染者を計算すると、実際の宇都宮市の感染者数は6378人いたことが推定できました。交差反応といって、違うものに感染しても、その抗体ができたりすることもあるようですが、このケースの場合は、それはなかったようです。

見つかった感染者数が23人だったのが、抗体を調べてみると少なくとも人口の0・4%、補正をかけたら1・23％いた。つまり、実際に見つかった患者数の90倍から277倍くらいの幅を持って感染者がいたと推測できました。

第1波の宇都宮市で潜在的な感染者が、少なくても90倍くらいいたというデータが出てきました。今後は、そのくらいの感染者数をコントロールすることを視野に入れた検査体制や、感染コントロールの戦略が必要だということが言えます。

さっきも書いたとおり、当時の宇都宮の検査体制が、一日あたりたったの12人分。これじゃあ、あまりにも少ないでしょうと。もっと検査を拡大しないと、感染者をとらえることはできない。そういうことを提案したかったんです。

2020年6月29日 午後7：54
第2波前ツイート

コロナは増えています。が、国も自治体も経済活動を止める気はありません。その雰囲気もありません。コロナの抗原検査、ＰＣＲ検査が速やかにできる体制を作らなければ、経済はまわりません。

検査を拒否する動きが

5月25日に東京、神奈川、埼玉、千葉、北海道の緊急事態宣言が解除されました。しかし、それもつかの間、6月中旬から東京の繁華街で働く若者を中心に感染が拡大しはじめました。

第2波の特徴は、若者の感染が多かったこと。結果的に重症者のピークで比べても、第1波は328人（4月30日）、第2波は259人（8月24日）、死亡者のピークは第2波で20人（8月28日）、第1波の31人（5月2日）と比べると下回りました。

若者を中心に軽症患者が多かったこともあって、第2波は恐るるに足らず、ひいてはコロナは怖くないという認識が広まってしまったようです。コロナの入院患者が病院を抜け出して、スーパー銭湯に出かけたことが問題になる状況でした。

感染が疑われても、検査を拒否する人が出てきたのもこの時期です。

学校の先生などで、熱が出ても学校を休まなくてはいけなくなるから検査しません、という人が結構いました。

学生では、本当に感染していてもどうせ軽く済むし、もしそれで休んでしまうと、就職試験に行けなくなるから検査は受けませんとか。だから、私は、患者さんを診るときも本人のニーズと、実際の流行状況と、それから接触状況とか基礎疾患の有無、社会的、家庭的バックグラウンドとかを全部みてから、検査することを勧めていました。

2020年7月13日 午後8：34
第2波渦中ツイート

無策・無謀・無責任なGO TOキャンペーン7／22に前倒ししたセンスも無能。1・7兆円使って、国民を危険にさらし、医療に負担をかけ、誰が責任取るんでしょうか？ 経済効果もこのタイ

ミングでは無。マスクはしっかりつけるが、政策的にはブラジル以上。だれ得？

第2波感染拡大で検査が追いつかず

7月22日には批判が多かった経済刺激策「Ｇｏ Ｔｏトラベル」も始まりました。コロナを甘く見る風潮があったためか、私の病院でも第1波の10倍ぐらいの患者さんが押し寄せました。民間検査会社に出せるようになってからは、検査をするかどうかを医師の判断でできるように。患者さんの症状をしっかり診て検査を行えるようになりました。

しかし、感染者があふれて、患者さんが入院できなければ、元も子もありません。やはり、自院で病床を作らないといけないのでしょうか。

流行期に入り、感染者が増えている時期には患者さんは積極的に検査をしたがります。

安倍首相（当時）が目標に掲げた検査件数2万件を達成できたのは7月22日。3カ月かかってようやく達成できたというのが実情です。〝37度5分の発熱4日間しばり〟はなくなりましたが、ＰＣＲ検査が足りない状況は続いていました。

検査ができないことで治療に遅れが出れば、重症患者が増えて医療ひっ迫につながることは、もうわかっていたことですが、いまだに改善することができません。7月29日には、全国の感染者数は１２７０人まで増えました。第1波のピークの倍近くです。

このころになると、感染しても医療にアクセスできないという患者さんの悲鳴が、私のところにも聞こえてきました。この状況で医学的に正しいことはなにか、患者さんの役に立つ医療とはなにか、模索しながら実行していきました。

2020年7月29日 午後4：32 第2波渦中ツイート

至急のお願いです！上越市でコロナの疑いのある患者さんの診察やコロナのＰＣＲ検査が可能なクリニックの情報がございましたらお教えください。

2020年8月3日 午後6：43 第2波渦中ツイート

熱があっても、近くでコロナの感染者が出ても、なかなかみてもらえず、困っている人がたくさんいるようです。そのような方は、リツイートお願いいたします。きちんと国や、自治体、分科会とやらに、現実を見せなければいけません。＃発熱外来でＰＣＲ

検査ができない全国の人をつなぐ「発熱外来サポートデスク」立ち上げる

保健所のキャパがパンクして検査が進まない状況がまたひどくなってきました。民間の検査に出すクリニックも少しずつ増えてきてはいましたが、検査にたどり着けない感染者が多数いたと思います。

7月に『ｎｅｗｓ23』（ＴＢＳ系）に出演したときのこと。新潟県上越市の男性が、東京への出張で会った人がコロナに感染していたことがわかって、その人は濃厚接触者になり、奥さんが妊娠中なので、新潟に戻ってから車の中で生活しているといいます。検査してくれる病院がないというので、もう3日間そうしているといいます。

このことに対して「先生、コメントしてください」と言われましたが、コメントするのはいいけど、それ以前に何で検査してくれるところがないのかと驚きました。放送後もまだ検査はできていないようなので、恩師の吉澤先生や先輩の大谷先生に、上越市に知り合いの医師はいないか聞いてみました。

それでも見つからないので、やむにやまれず、前のページのようにツイートで呼びかけたのです。とにかく検査が受けられずに困っている人がいますと。そうしたら、そこにワーッと一斉に返信が！あそこの市の人だったら、誰々がやってくれる、値段はこれくらいだとか、高いけどやってくれるとか、さまざまな情報が集まってきました。

SNSの力ってすごい、こういう役に立つ使い方があるんだと思い、全国の患者さんとその地元の発熱外来をツイッターでつなぐサポートデスクを立ち上げました。

2020年8月6日 午後6：16

第2波渦中ツイート

感染者数は過去最高を更新。無為無策で経済を動かすと政府。GO TOキャンペーンで着実に感染者の数を増やし、無駄な会見で人心を惑わし、感染のコントロールはつかず悲惨なことに

なる。手遅れ。何もしない事＝経済を回すことだと思っているのが、無能の証。ちゃんと対策してください。重症者増える！

2020年8月8日 午後2：07

発熱があっても受診できない方や、なかなか検査が受けられない方のための情報提供アカウントを作りました。皆さんご協力お願いいたします。これは私の裏アカではありません。私も微力ながら協力いたします！ コロナ発熱外来サポートデスク #コロナ発熱外来サポートデスク

これは本当に有用なアカウントになりました。自分で地元の自治体に電話をしても、検査できるクリニックを教えてくれない。そもそも電話がなかなかつながらない。保健所でも相変わらず、それはコロナではないので、3日間は様子を見てください、という反応が続いていました。

8月7日には1605人と1日の全国の感染者数が最高に。感染拡大のいっぽうで検査ができない、すなわち医療にアクセスできない不安におびえる人たちがたくさんいました。そういう困っている人たちのニーズから「コロナ発熱外来サポートデスク」を実際に始めてみたら、全国から問い合わせも多く、皆さんの不安を解消するアカウントとして機能したと思います。

ちなみに、サポートデスク立ち上げのきっかけになった人は検査の結果、陽性が判明しました。

これは、地方の開業医で態勢を整えて検査を頑張っている医師のサポートにもなったのでは。だ

から、患者さんにとっても地域の医療にとってもいい、誰も損する人はいない、役に立つ仕組みづくりの先例になりました。

仕組みとしてはサポートデスクのアカウントにダイレクトメールを送ってもらう。たとえば「新潟市で熱が出て困っているんで受けられる病院を探してくれませんか」というメールが来ると、それを担当の職員がコピーして、ツイートをします。誰か情報をくださいと拡散していくと「同じ市内のどの病院だと、発熱外来で受け入れてくれますよ」という返信が返って来る。それを繰り返していくと情報が集まってきて、あそこのアカウントで探せば何市はどこの病院で受けられるかがわかるという評判ができてくる。全国的な〝コロナ病院伝言板〟のようなものができました。SNSの使い方として、非常に成功した例ではないでしょうか。

2020年8月8日 午後8：08
第2波渦中ツイート

残念ながら複数の福祉施設で感染者が出てしまっています。福祉施設は我々の生活の場では1番弱く、1番守らなければならない場所の一つです。国の無策の為放置されています。もはや国があてになりませんから、福祉施設を守る仕組みを地元宇都宮から作ろうと思います。ご協力よろしくお願い申し上げます。

病院、福祉施設は検査が足りず、クラスターが相次ぐ

もともと医療の現場以上に福祉施設の職場は過酷でした。それに対する対価が少ないなかで誇りを持って働いている職員も多い。人生の最後を過ごす場を守る崇高な仕事であり、大事な場所です。だからこういうところを守れるか守れないかが日本の国力を問われるところだと、心底思います。日本は世界一の高齢化の国で、高齢化問題といちばん向き合っていかなきゃいけない国。しかし、コロナ禍ではそこに対するカードがあまりにもなさすぎて、油断しすぎでした。

第1波で214人の感染者を出し、40人以上が亡くなったある病院も多くの高齢者が犠牲になりました。内部の話を聞くと、やはり検査が遅れたことがこの大惨事の原因でした。本来なら経緯を詳細に調べて、原因を解明し二度と起こらないように対策をするべきなのに、コロナに関してはそのスイッチがまったく入らない。

なんでこういう問題が根本的に解決されないかというと、地方の問題にすり替えてしまったからでしょう。国がコロナ対策をしなきゃいけないのに、医療圏レベル（※）の問題にすり替えてしまった。その地域の自治体の医療体制が脆弱だから崩壊したんだと。

だから感染爆発が起きるたびにあちこちで同じことを繰り返して、全体的な構造は問題ないかのようにしてやり過ごしてしまう。先の病院の院内クラスター発生や、第1波の東京や札幌で起きた

※医療圏は原則、都道府県単位で先進的な医療を提供する3次医療圏（北海道・長野はは広いので複数に分かれる）と一般的な医療を提供する地域の2次医療圏と市町村単位の、身近な地域の日常的な医療を提供する1次医療圏に分かれる。

介護クラスターを教訓にしなかったことで、のちの第3波の旭川、第4波の大阪でも同じような事態が起きてしまいました。

介護現場の困窮と、コロナの感染状況を合わせてみると、クラスターが出る可能性は高いのに、そこを守ろうとしないスタンスはかなり問題です。定期的なＰＣＲ検査で早期発見して隔離をすることさえできれば、感染拡大を防ぐことができます。ほとんどの院内や介護施設のクラスターを見ていると、検査が遅れて発見が遅れて、感染が一気に拡大しています。定期的なＰＣＲ検査をする体制を作るしかないでしょう。

栃木県でも、ある病院でクラスターが起きたときに、その病院の先生から「保健所が検査してくれないのでなんとか助けてください」と相談を受けました。検査に協力させていただき、2～3カ月かかって、ようやく収束しました。病院側も、感染対策に力を入れて取り組んでいますが、なかなか検査してもらえないというのが、ネックになっていました。

宇都宮市や栃木県も、別に悪気があってそうしているわけではありませんが、絶対的な検査能力が足りないんです。

2020年8月21日 午前10：16　第2波渦中ツイート

https://www.shimotsuke.co.jp/articles/-/349471
すごい取り組み！日本で初！旅館のスタッフの方にＰＣＲ検査。定期的にコロナチェック！経済を回すには積極的に無症状の方を見つけ、早く休んで頂く事が肝要。感染が拡大してお客様から何人も出てしまってからでは遅いです。早めの対応だと風評被害はありえません。

2020年9月21日 午前11：58 第2波後ツイート

那須塩原市の渡辺市長とともに安心して旅行に行ける取り組みを開始しました。色々な意見、ご批判を頂きながら、改善をしていけば、安心して沢山のお客さんが塩原温泉、板室温泉にきてくれます。がんばれ那須塩原市！

地元の旅館と協力して定期的にPCR検査を開始

「Go Toトラベル」はやめてほしいが、始まってしまった。ツアーを組むバス会社さんから旅行前PCR検査の依頼があった。旅行に行くんだったら、最低限、PCR検査をして陰性の人だけを乗せたバスでツアーを組みたいとのこと。お金が15000円かかってもいいので、検査を受けて安心してから行きたいというニーズがあった。

ちょうどそのころ、プロ野球界やJリーグでPCR検査をやろうという機運が盛り上がってきた時期なのでこれはいいことだと、なるべく安い価格でできるように協力することに。

その延長線上で、那須塩原市の温泉街の旅館協会の人たちに、PCR検査を定期的にできるような検査体制の構築を協力して行いました。渡辺美知太郎市長から、観光で食べていかないといけない街だからということで、協力を求められたことに応えたものです。

私は、PCR検査は行政検査だけじゃなくて医療や自費でやるものも自治体がやる検査も、ぜんぶ増やさなければ本当の感染状況は見えないというスタンスだったので、そういう話があれば協力します。10月以降に600人を対象に月1回検査を行うという。事業者に1回1人1万円の費用を負担してもらい、差額を市が助成。財源として入湯税を暫定的に引き上げる。

さらに那須塩原市では、旅館の認証制度を作りました。旅館を一つひとつチェックして、CO_2モニターを置いて換気して、衝立を置く。規格に合ったことを実行したところには、那須塩原市として認証マークを出します。私は認証制度作りに参加しました。検査をすることで陽性者が出たら風評被害を招くという反対意見もありましたが、若い市長が説得したのです。

感染対策をオープンにすることで安心できる温泉街をつくる第1歩になります。とにかく検査をいっぱい増やす方向の取り組みは、賛成してやっています。

2020年9月10日 午後2:39
第2波後ツイート

当院スタッフ41人いますが、毎日4名ずつサンプルを集めてPCR検査をはじめました。10日に1回検査をすることになります。予防効果などがあるか、検討して、うまくいくようであれば広がればと思います

2020年9月25日 午後8：08

第2波後ツイート

職員のプール法による検体を2つにしました。毎日8人検査します。経費にもなるとの事です。兎に角早期発見に努めます。万一患者さんにうつしてもダメ！ 早期発見、早期隔離が基本。医療機関、福祉施設では必須！

まとめて検査するプール法でコストが下がった

自院でやる検査は増やしたいが、コストが問題です。病院にとっても患者さんにとっても出費を減らせるいい方法がありました。プール法によるＰＣＲ検査です。プール法とは、たとえば最大５人の検体をまず、１つにまとめて検査をします。もし陽性だったら、そのグループだけ１人ずつ再検査をします。基本的にコストは5分の１になります。

自院の職員を対象に始めました。毎日４人まとめて2検体のサンプルをとります。10日に一回検査が回ってくる計算です。のちに8人2検体に広げました。感染拡大の際に院内クラスターを起こしてはならない。このとき以来、２０２１年9月まで陽性者は１人も出ていません。院内にある病児保育の職員にも対象を広げています。

毎日検査をすることで職員の意識が大きく変わります。感染すると即、検査で引っかかるので、流行期には居酒屋はもちろんのこと、集団で会うのもやめようとなります。家族にも、ちょっと気をつけてね、と注意を呼びかけ合うようになりました。

まとめてやることでコストは減りますが、費用は自院で負担するので毎日やればかなりの出費です。1回払うと15000円払って、それを1日2検体出すと3万円かかるので、1カ月100万円近くの勘定になってしまう。

こんなことをやっていたら病院は潰れてしまう。これを続けていくのはちょっと無理でしょう。前から考えていた、機械を買って自院でやるしかないかという考えが再び頭をもたげてきます。そして、決定的な出来事が、3週間後の10月中旬に起きました。

2020年9月4日 午前11：47
第2波後ツイート

9月よりコロナフォローアップ外来を始めます。東京医科歯科大学呼吸器内科と共同研究も開始しました。コロナにかかり、退院後2週間経っても息切れや体調不良が続く場合、予約にて受診可能です。よろしくお願い申し上げます。

2020年9月6日 午後2：56
第2波後ツイート

インフルエンザはインフルエンザ、癌は癌、自死もふくめて、それぞれお互い比較するものでもないし、どれもそれにより亡くなる方の数を減らすこと、それを我々医師は目指している。他より多いから、少ないからは、現場感覚とは違います。コロナも

見過ごされている後遺症をフォローする外来を立ち上げる

第1波、第2波を経験して、新型コロナウイルスの恐ろしい側面が少しずつ明らかになってきました。それは後遺症の問題です。注意が必要なのは、年齢を問わず後遺症が残ること。

私が驚いたのは、第1波のときに院内感染から自分も感染した、ある病院で働く30代の女性看護師の事例です。その看護師は感染後、ずっと呼吸が苦しくて、勤務どころか日常生活を送るのも難しい状態が続いたといいます。改善が見られない一方、コロナ後遺症の診療体制はないとの理由で他県から紹介されてきました。

6分間歩行検査をすると、血中酸素濃度が85%ぐらいまで下がるんです。85%なんていうのは、タバコを40年くらい吸っていた、ガリガリに痩せた80歳くらいのおじいちゃんの肺の状態です。だから30代でも、人によっては後遺症がかなりきついダメージで残るということがわかりました。その人の肺機能は、年齢によっては、不整脈を起こしたり、ほかの病気を引き起こしたりする可能性があるくらいの状態です。

その方は、幸い、命に別状はありませんでした。しかし高齢の方で、コロナ感染後に経過観察を受けていない方が大多数です。コロナ後遺症により、命の危険にさらされる可能性はあるでしょうし、肉体的に衰弱したり、精神的にダメージを受けて鬱になったりするケースが考えられます。

後遺症で人工呼吸器やエクモが必要になってすぐに亡くなるわけではありませんが、心身にダメージを受けるケースは見落とされています。それは深刻な問題だと思い、そういう方々を治療するための「後遺症フォローアップ外来」を立ち上げました。

2020年10月17日 午後8:01
第2波後ツイート

院内でPCR検査ができる体制を構築することにしました。現金がないので銀行に1000万借りて、安全キャビネットとPCRの機械を買って、まずは私ともう一人の医師で診療後PCR検査を始めてみます。年内稼働が目標です！ 軌道に乗れば自費PCRの検査代を下げられると思います。

2020年10月17日 午後9:18
第2波後ツイート

コロナが出た施設で働いたお母さんと3歳1歳の子が自費で検査受けに！ 泣く赤ちゃんを必死に大丈夫って、ママが。3人で5万払って帰る。こんな理不尽ないでしょう？ お葬式に9000万円かける？ これはやらねばって誰でも思うと思います。

保健所で検査が受けられないお母さんが幼子を連れてやってきた

ある保育園でクラスターが起こったときのこと。その保育園で働いている保育士で、20代のお母さんが3歳と1歳の子供を連れてPCR検査を受けに来ました。なんと、クラスターが出た職場なのに職員である彼女は、濃厚接触者として認められなかったというのです。それで行政検査が受けられなかった。保健所は濃厚接触者と認定する数を絞ってくるというのは、すでに第2波で実感できたことでした。

そのときはまだ自院でPCR検査ができなかったので、自費で検査しましたがひとり15000円いただくことになります。泣いている子供を必死になってあやしながら、大変な思いをしてやってきた母子から5万円近くいただくのは本当に申し訳ない。

お母さんからしたら、自分の子供たちを守りたいと思うのは当然です。検査をして、陰性であることを確認したいでしょう。行政がそういう気持ちを無視しているのはちょっと信じられないし、とんでもないと思いました。

ツイートした当日は、国費を9000万円以上かけた中曽根康弘元首相の葬儀が行われた日。2兆7千億円の予算を取った「GoToトラベル」まで実行しているのに、なんで検査にお金をかけないんだ？　私も2020年の3月からずっとテレビで訴えてきましたが、秋になってクラスターが発生しても、検査しないなんて。

20代のお母さんが子供2人を連れてきて、不安のなか何時間も待って5万円も払って帰っていくっていうのはもう、絶対あってはいけないことだと思ったので、それだったら検査の機械を買って自分のところでやろう、値段を安くしてやろうって思ったわけです。

機械を探し始めたら、8月まではPCRの機械を購入するときは全額、国から補助が出ていましたが、その影響もあったのか機械が売れてしまって市場に出回っていませんでした。

起きるべくして起こったこと　大切なことは事前に察知するシステムづくりなんです。福祉施設、療養型や精神疾患の病院でおこってからでは遅いんです。安倍政権時にやるって言っていた、スタッフへの検査早くやってください。あれはまさか嘘？

政治家に言っても話にならないので、ついに自前でPCR検査機器を購入

そうこうしているうちに、検査が足りないせいで福祉施設に相次いでクラスターが発生。埼玉県朝霞市の福祉施設では60人を超える感染者が出る事態も。感染者も全国に広がってきました。11月に出たテレビで、この窮状を政治家に訴えたが、もうまったく話にならない。この人たちに言ってもしょうがないんで、もう自分でやります自助でしょ、みたいな感じでキレてしまった。司会の方が「なんか倉持先生が怒っちゃったじゃないですか」というくらい怒りがあふれてしまいました。

そこで、いよいよ自分でやるしかないと思いました。海外の会社が新しい機械を出していて、それが国内で8台あるという。ＰＣＲの機械が1台４００万円で8台買ったら３２００万円。さらに、安全キャビネットといってサンプルの唾液からＲＮＡを安全に採取するための機械が必要でしたが、それが1台５００万円ぐらいするという。アメリカ製で高いんだという。

しかし、本当に頭にきていたので、とりあえずそれも5台買って、プレハブも注文して、みんな

借金でしたが銀行は不況だから喜んで貸してくれました。変な話、私、その前に、もともと倉持病院という父が作った病院にいて、そのとき、家族でものすごい借金をしましたが、きちんと返してから辞めて独立したので、銀行はまた貸してくれました。

銀行はお金をいっぱい貸してくれたとはいうものの、安全キャビネット5台で2500万円。プレハブ代と、PCR検査の機械の代金と合わせて借金まみれに。でも、きちんと返します！　人の命にお金とか関係ないです。

2020年11月2日　午前9：31

第3波前ツイート

悲報　1／26に20個入りのN95　300箱たのみましたが、24個きて、その後ずっと入ってきません。あと残りわずかですが、なんだか値段も上がるそうです。いくらになるかわからないとこの国の為政者は何をなさってるのでしょうか？全く改善なし　工場作って、ちゃんとしたN95作って！

自前のPCR検査はクリスマスイブの日に始まった

借金は10年働けば返せる。検査機器をそろえたはいいのですが、医療物資がなくて検査できないのがいちばん困る。この時期、まだまだモノ不足は深刻でした。第1波のあの悪夢から半年以上たって、また同じ目に合うとは。とにかくモノがないってのは絶対あっちゃいけない。これは政治家の仕事だと訴えたら、11月19日に家電メーカーのアイリスオーヤマが、「N95」マスクを、2021年の秋から宮城県の工場で生産するというニュースが。

頼りになります。

本当にこの国は今は何事も自助なので、見切りをつけて自分で何とかするために戦車か、駆逐艦かわからないが、そういう巨大なものを買ってしまった気がします。

ある医大の先生から聞いた話では、大学病院の教室でもそういうPCRの機器は1台とか2台しか持っていないらしい。こんなクリニックで8台持っているっていうは〝あたおか〟かもしれません。一般のご家庭がロールスロイスを8台買ってズラリと並べているようなものでしょうか。私も最初はぜんぜんそこまでやるつもりはなかったのですが、やらざるをえなくなってしまったというのが正直なところ。

これから人手を集めなければなりませんが、検査能力は、機械のキャパでいうと1日6000件ぐらいできることがわかりました。これは当時の東京都の検査数と同じくらいになります（2020年11月18日検査人数5922・6人＝7日間移動平均。東京都新型コロナウイルス感染症対策サイトより）。

検体を取り検査結果を出すところまでの完全な検査体制を確立できることになりました。

インターパーク倉持呼吸器内科での、「完パケ」のPCR検査は12月24日、クリスマスイブの日に始まりました。

Column

第2波の教訓と対策

第2波の問題はなんといっても、若者の感染が多く、重症化する方が少なかったため、コロナ軽視が進んだこと。そのため、政府は感染が落ち着いたときにやるべき対策を取らなかった。しかし、クリニックで患者さんを診ていると、現実は濃厚接触者がもう追跡できなくなっている危機的状況が見て取れた。実態として保健所はもう、いっぱいいっぱいで「1週間たっても連絡がこないんですけど」と追い詰められた人たちがクリニックにやってくるケースが多く見られた。

それなのに「Go To トラベル」をはじめとするGo Toキャンペーンで人の動きを生み出したため、第3波で感染爆発を起こし、犠牲者を増やす下地を作ってしまった。

教訓

- コロナ軽視は弱者の犠牲者を増やす
- 軽症患者でも重大な後遺症が残るケースがある
- PCR検査が足りないと、結果的に保健所のキャパ不足により、医療にアクセスできない患者さんを増やす。保健所のキャパオーバーは改善されていない
- 重症患者が増えたときの高度医療が足りない

対策

・軽症の若者から老人に感染が広がり犠牲者を出すので、速やかなＰＣＲ検査で隔離を徹底する
・保健所だけに頼らず、民間・自費、自治体による検査体制の拡充が必要
・コロナ後遺症のフォロー体制の確立
・感染が収まった時期こそ、医療を拡充し流行に備える
・人が集まる場所での感染対策を確立すること

第3波

地元宇都宮の医療崩壊で、ついにPCR検査センターと入院病床建設

2020年10月28日 午後11：06

第3波前ツイート

倉持仁
@kuramochijin

飲食店を安心して利用できるよう、医学的見知に立ったアドバイスをするアカウントを作りました。同僚の医師で、間取り、換気状態、利用者数、滞在時間などを考慮して、医療視点からアドバイス。当然無料ですし、多数は無理ですが、情報共有してコロナと闘いましょう！

#飲食店コロナ対策相談室

講演に呼んでいただく、鹿沼市の粟野小学校に子供達が楽しくおしゃべりできるための給食用衝立と思いっきり討論できるよう、縦長の衝立、各10組寄付しました。ご意見をいただき、改良しコストを下げてお役に立てれば広げたいと思います！

旅館と学校に換気と衝立で感染対策を

感染者は増加傾向ですが、大流行する前に先回りして感染対策を施していきます。先手、先手で感染者を抑えていく手立てが必要。「ＧｏＴｏトラベル」で利用者が増えた旅館業の方と協力していきます。

10月28日にツイッター上で飲食店の相談センターを作りました。ダイレクトメッセージで蕎麦屋さん、お寿司屋さん、バー、旅館などから相談がありましたが、図面をもらってアドバイスをするというのはハードルが高かったようです。もともとPCR検査で縁があった旅館の人とやり取りを開始。お客さんをどこで待たせるか、ご飯をどこで食べてもらうか。食堂のレイアウトを組みなおす必要があるかなど、衝立を作る会社さんにも協力してもらい研究しました。同僚の医師にも入ってもらって利用者数、滞在時間などを踏まえて、お風呂の換気の仕方とか旅館ならではの対策と、感染対策としていらないことをすり合わせます。

感染対策で改善の余地があるのは学校などの教育現場です。第1波で全国一斉休校がありましたが、その後は密を避けるなど、不自由な学校生活を強いられていた。講演で呼んでくださった鹿沼市立粟野小学校でまず知ったのは、給食の様子でした。

講演に行く前に、実際に子供たちが何に困っているのかを先生に聞くと、やはり給食のときにご飯を向かい合って話し合いながら食べることができない、友達同士で思いっきりしゃべったりができないということでした。

子供たちが、体育館のような広いところでかなり距離をとって、前を向いて黙ってご飯を食べているという。先生が密にならないように苦労をして、指標を作って距離をとっていたようですが、これは何とかしてあげたいと思いました。

たしかに広い部屋に5人ぐらいしか子供がいないのに、前を向いて黙ってご飯を食べているのは、なんだかすごくシュールだし、かわいそうじゃないかと。じゃあ、どうしたらいいかと相談されたので、感染の元になる飛沫をブロックする衝立をプレゼントすることにしました。

2020年11月4日 午後6：36

今日は鹿沼市立粟野小学校で講演をさせていただきました。国が感染拡大を許容する方策をとっていて、結果感染拡大したため、マスク、手洗い、食事のときは衝立で飛沫ブロック。そして換気。体調不良時は速やかに受診をして検査をと、話しました。

不安な日々を過ごす子供たち

小学校は自然が豊かで、スギで作られたすごく立派な校舎でした。鹿沼市は木工の街です。補助金の出る栃木産のスギを利用して衝立を作ってもらい、講演に呼んでくださったお礼にプレゼントしました。机の大きさに合うように、1枚板から中身をくり抜いてもらって、折りたためるように設計士さんに作ってもらいました。くり抜いた部分はまた別のものとして使えるようにして。

そうしたら子供たちが喜んで、給食時は換気をしながらその衝立を使ってくれたそう。みんなでごはんが食べられるようになって喜んでいますという報告がありました。本当はこういう動きが広がってくれればいいのですが、教育委員会や県、最終的には国の意向で決めて動く必要があるので、なかなかむずかしいようです。

コロナの流行が始まってから、子供たちもずっと不安で不便な日々を過ごしています。感染対策も含めて、根本的な対策が見過ごされてきました。たとえば子供の感染者が出たら、クラス全員、速やかに検査を市の補助でしますとか、ルール作りが必要なのにされていません。

欠席も、感染疑いなら3日とか5日ちゃんと休んでその間に検査をするとか、ちゃんと国がルールを決めるべきなのに、現場に投げるっていうのは、ちょっと無責任だと思います。科学的な知見で学校の感染対策や感染の対応を決めていかないといけません。

栃木県産のスギの集積材を使った衝立を、講演に呼んでくれた小学校にプレゼント。

第1波以後は現在に至るまで、ずっと休校も自治体まかせ。全国バラバラの対応のまま、もう1年半以上放置されてきた学校現場は、第5波で子供たちにも感染力の強いデルタ株にさらされています。

2020年10月3日 午前0：13
第3波前ツイート

これ私が若い時 これはクリニックのキャンプ場で流しそうめん大会を2019年の夏にしました。ただ今現実逃避中です（※実際のツイートには流しそうめん大会の写真あり）。

ちょっと余談です。最近は、診察やら検査結果の分析、論文のデータ集めから、自院でPCR検査を始める準備に追われる日々。クリニックの横にはキャンプ場の敷地があって、コロナ前は、地域の子供、親御さんと一緒に楽しいイベントを行っていました。検査用のプレハブを作るためにキャンプ場はいったんつぶしてしまうので、当時の思い出に浸る現実逃避。

30歳のころ。東京医科歯科大学の呼吸器内科に所属して、医師としてのキャリアをスタートしたばかりだった

2020年11月1日 午後9：27
第3波前ツイート

今日は子供達と釣りに行ってきました！ キャンプとか釣りとか、釣れなかったら、隣の方がお魚

をくれました。そしたら息子が、学校に出す日記に書くから、つった仕掛けと場所って言うから、お前が釣ったんじゃないんだから嘘書くなと言いました。サバゲーも始めます！

ハードな日々ですが、休みは週に1回は最低でもとっています。テレビ出演はありますが、もともとアウトドアが好きで、この日は久しぶりに子供を連れてキャンプに行って釣りを。こういう日常を過ごせるポストコロナはいつやって来るのでしょうか。予断を許さない日々が続きます。

2020年11月14日 午前8：46

第3波前ツイート

菅総理、GO TOキャンペーンをやめない理由はしっかり専門家のせいに！ 医者なら医学的見地から発言をすればいいし、それを決して曲げてはいけない。忖度していると最後はスケープゴートになるので、忖度をやめていただきたい。GO TOスケープゴート

閑話休題。第2波は若者中心の感染で、重症者も急激に増えることがなかったことから、コロナは怖くない、病院ももうひっ迫しないという誤ったメッセージが広がってしまいました。そうして、検査もそんなに必要はないという状況のまま、経済最優先の「Go To トラベル」をはじめとした「Go To キャンペーン」政策が強行されています。

8月28日に安倍首相（当時）は辞任会見で、冬に向けて検査体制を拡充する必要があると述べました。1日20万件の達成目標を掲げ、さらに病院と高齢者施設の職員には、定期的に一斉検査を行うと宣言。にもかかわらず、検査件数はその後もしばらくは1日2万件台にとどまり、今に至っても1日20万件は達成されていません。医療機関などの定期的検査など実現されていない。国民との約束を実現しない政治、私はとんでもないものだと思っています！

それで「Ｇｏ Ｔｏ トラベル」なんてやったら、感染がひろがるだけでしょう！　そうなると、経済優先どころか、またあらゆる活動を止めざるを得ない。東京除外で始まった「Ｇｏ Ｔｏ トラベル」は10月1日から東京も適用を開始した。10月1日で２３４人に達していた東京の感染者数ですが、それから一気にウイルスが地方に散らばっていきました。

２０２０年11月10日 午後８：25

第３波前ツイート

@koichi_kawakami　なんと、川上先生の遺伝研とコラボが決まりました！　臨床面と研究面で協力し、コロナの病態解明に寄与していくことで、合意しました！　川上先生、ありがとうございます！　また、よろしくお願い申し上げます！

国立遺伝学研究所と共同研究がスタート

国立遺伝学研究所（遺伝研）の川上浩一先生がツイッター上で、「一緒に新型コロナウイルスのゲノム（遺伝情報全体）研究をやりませんか」と私に声をかけてくれました。川上先生はゲノム解析の専門家で、遺伝研はその専門研究機関。遅々として進まない日本のコロナ対策にしびれを切らして、何か役に立ちたいと考えておられたようなんです。

ゲノム解析で何がわかるのか、何が役立つのかというと、ウイルスの遺伝情報を総合的に解析することで、ウイルスの変異はもちろんのこと、誰から誰にうつったか、また患者さんの症状と患者さんが持っているウイルスの遺伝子情報を結びつけることで、将来的には治療に役立てることができるのです。

政府は「ＧｏＴｏキャンペーンで感染が拡大したというエビデンスはない」と言っていますが、それもゲノム解析をすればわかる話なんですね。

当院の場合、入院患者さんの便や尿など、毎日サンプルを採取して、それを遺伝研に送って解析をしてもらっていました。そのなかで変異株の話が出てきます。当時アルファ株やベータ株が少し話題になって、日本でも独自に変異しているのではないかと言われていました。

ウイルスの遺伝子を丁寧に調べることで、どの部分が変異しやすいか、どういうウイルスが残っていくのか、わかってきます。つまり、次は、この変異ウイルスの流行が起きるかもしれない、ということがわかってくるわけです。最初は変異の研究は考えていませんでしたが、すぐに役に立つ研究だということで、進めることになりました。

日本ではそういう研究が進んできませんでした。サンプルを集めるのは、感染研しかできないような仕組みになっていたのですが、感染研は遺伝子の研究機関ではないので、やっぱり餅は餅屋でやったほうがいい。

ニュージーランドの研究所で働いている人とメールのやりとりをしていろいろ教わりましたが、ニュージーランドでは最初の患者さんから、全ゲノム解析が行われていたという。

そのやりとりで日本と海外の危機感の持ち方の違いが実感できました。

最新の機器と人材がそろっている遺伝研なら、スピーディーに効率よく解析できるでしょう。当院の患者さんのウイルスを調べて、変異による臨床像の違い、つまり症状の違いが見えてきます。遺伝研にはその後2021年1月までに300件の検体を送りました。これは臨床医と研究機関による、患者さんの役に立つ研究の第1歩でした。

2020年11月23日 午前11：44
第3波渦中ツイート

GOTOと感染拡大の因果関係を示すエビデンスはない、というが、統計の専門家が沢山いるにもかかわらず、そもそも統計学的データを取らずに始めたキャンペーンなのでそんなエビデンスなんかあるわけない。やる側が準備して説明すべき事を、無視して開き直る手法が確立。自助共助強行突破

2020年11月30日 午後1：17
第3波渦中ツイート

現在の状況が続けば、いずれ基幹病院はコロナでうまり、そこでクラスターが発生し、通常医療、救急医療が麻痺し、本来入院治療が必要な方が自宅待機となります。自宅で急変、死亡例も増え検視が増え警察も変死対応。人の動きは止まらないので、どこで政治が英明な判断ができる

かにかかっています。

Ｇｏ Ｔｏ トラベルによる感染拡大をきちんと調査しようとしない政府

11月11日には全国の感染者が１５００人を超える。Ｇｏ Ｔｏ トラベルで、感染者が増えたというエビデンスはないと政府は盛んに言っています。こういう大規模なキャンペーンをやるなら、その前に数を絞って、５００人でやってみて追跡調査をして、安全が確認できたら次は1万人で検証するというような実証実験が必要でしょう。それが科学的な、21世紀的なやり方ではないでしょうか。薬の治験と一緒です。

だけどこのＧｏ Ｔｏ トラベルも、２０２１年のオリンピックも、政治的な意図のもと、実施ありきの乱暴なやり方で進めました。感染者が増えている時期に、火がついているところに油を注いでいるようなもの。

そもそもエビデンスがないのではなく、それを調べるつもりがないのです。ゲノム解析をすると、感染がどこからどこへ広がったかがわかる。たとえば東京株が札幌に広がって、それがまた東京に戻って来たということは、遺伝子変異の順番を追っていけばトレース（なぞることが）できます。

どういうところに利益をまきたいのか、私にはわかりません。はっきり言えるのは、感染者を減らすことより、一部の利益のために国民の命を代償に勝手にやりたいことをやっているようにしか、見えない現状があること。コロナ対策は終始過小評価と、短期で収束するという甘い見込みで対応しています。五輪でもそう。

科学的医学的判断の放棄。いつまで日本はそうなのか！

2020年12月7日 午前10：33 第3波渦中ツイート

一刻も早く、病院のスタッフ、福祉施設のスタッフに定期的なPCR検査体制を始めてください。そもそもやるって言ってたのに、なんでやらない！すぐやりなさい!!

2020年12月13日 午後9：31 第3波渦中ツイート

医療機関や福祉施設、障害者施設でクラスターが多発。当初より予防的PCR検査が必要だった。検査を行わず、感染拡大を助長。国の不作為による人災。今間違いに気づき、すぐに行動を起こせば責任を問いません。早く、必要な方々に必要な検査を行ってください。自民党の中にも有志はいますよね!?

政権が約束した一斉検査が実行されないまま、病院で大クラスターが

11月から2021年初頭にかけて、北海道の旭川市で発生した大規模なクラスターは、これまでとはけた違いのものになりました。感染者が旭川厚生病院では311人、吉田病院では214人を数えました。

クラスター対策は、もともと結核などで用いていた手法。結核で感染者が出ると、何時間一緒にいると感染するというようなエビデンスがあるので、保健所は、例えばラーメン店のおじさんから、こっちのお客さんにうつったという話を聞いて、遺伝子を調べます。遺伝子の配列をみて、この人からこの人にうつったということがわかるのです。

保健所はもともとそういうノウハウを持っていました。ただ、新型コロナ感染を追えるスケール感はないので、感染者が少ないうちはいいのですが、数が増えると通用しません。第1波は強烈に自粛して感染を抑え込んだので結果としてはよかったのですが、そこから先が間違いでした。

やはり簡単に検査できる場面を増やさなければ、解決しません。感染症のコントロールは、検査を増やさないとできません。B型肝炎、C型肝炎、梅毒、HIVのような感染症は、必ず入院するときに検査をします。もっとポピュラーに感染するプール熱とか、インフルエンザ、ノロウイルスなどの感染症は、全国の医療機関5000カ所で、ウイルスの定点観測をしています。そして検出されたら報告するのです。

原則として医者が必要だと思ったら、その段階で当たり前に検査ができます。それで流行状況を把握して「流行してきました。危ないから気をつけてくださいね」と政府がアナウンスできるのです。インフルエンザなんかだと、さらに「人口何万人あたりの感染者は何人だから流行期に入りました」という警報を鳴らします。本来コロナも同じことをしないとダメです。重症化するリスクの少ない子供のアデノウイルスですら検査をします。

検査をしないと治療方針が決められません。検査を絞るということは、医療にアクセスできない人を大量に出すことになります。しかし、政府は検査に関して保険診療の点数をつけない、財源も含めて都道府県に丸投げして、検査を絞る体制を作ってしまいました。コロナへの治療を制限させてしまっている大きな要因ですが、なぜそうしたのか、医療界、ジャーナリズム各界で検証していく必要があるでしょう。

2020年12月14日 午後11：43
第3波渦中ツイート

デマCt値うんぬん 検査をすると医療崩壊 指定感染症を外せばよい どのウイルスでもPCRが陽性になる 重症者の数だけが大事 無症状者に検査しても無駄 感染対策をすると経済が回らない PCRは偽陽性がおおく人権侵害→全て変な意図をもったデマです。

2020年12月26日 午後5：45
第3波渦中ツイート

昨日のスガさんとオミさんのカイケン いまだにPCRのセイドがと呪文のように唱えるオミさん もうやめてステイホーム 英からの入国1人か2人のスガさん クリスマスに5人英からのヘンイシュが入国 スガさんもハウス

PCR検査の正しい考え方とやり方

PCR検査についてはさまざまなデマが流され、混乱を招きました。新型コロナウイルス感染症対策分科会会長の尾身茂氏ですら、12月25日の記者会見でおかしなことを言うありさまでした。会見で尾身氏は民間の検査には品質のリスクがあると言いましたが、公も民も、よほど変な検査をしないかぎり問題は起きません。

PCR検査についての誤解を解いておきたいと思います。

PCR検査というのは、DNA（遺伝子）を抽出し、二重らせん構造のDNAの2本の鎖を加熱し1本ずつに分離します。その後温度を下げて、分離した鎖にそれぞれ合成した鎖を1本ずつ、くっつけて、2本鎖を2組作ります。そうやって倍々にDNAの鎖を増幅していく方法。微量の遺伝子を増やして検出しやすくします。

感染初期にはウイルスが出ないことがあります。ウイルスが少ないときは増幅回数を増やさないと検出されません。よく言われるCt値というのは、ウイルスが検出されたときの、陽性と判断される増幅回数の基準。日本では40回未満が陽性とされています。感染が成立しても、発症まで1〜10日かかります。そして、発症する2〜3日前から他者への感染性を有するようになります。そこがコロナの難しいところ。感染してから発症するまでのレンジがすごく長い。診断していると、1日から長いと2週間ぐらいかかるときがあります。通常は1日から10日と言われていますが。

濃厚接触者ですと検査を受けに来る人は、接触してからだいたい5日目に来ます。だから当然そこで検査をしても陰性だということは推測される。そういう人は5日から10日経った段階で、もう1回検査をするべきなのです。

濃厚接触者で明らかに感染しているように見えても、Ct値42でウイルスが検出されることがあります。基準では陽性と言いませんが、私たちは翌日に、もう一度無料で検査します。そうすると

39回になる。35回から40回はまだ怪しいから、もう1回検査して、今度は36で陽性が確定する。こういう人は明らかに陽性。ウイルスが増えているわけですから。

2点を取らないと直線が引けないのと一緒で、1点だけだったらこの勾配がわからない。2点取ることで勾配がわかるわけです。その勾配が上向いているかどうかを見ることが、非常に大事。

デマを流す人たちは、台湾などは35回以下だけを陽性にしているという話をしますが、検査する目的は何ですかって言ったら、早期に患者さんを発見し、隔離すること。人に感染させる前に発見し隔離することが検査の目的ですから、ウイルスが増幅するタイミングをうまくとらえる工夫が必要なのです。

検査会社に出したらプラスかマイナスでしか結果は出ませんが、Ｃｔ値を見ることが大事。とにかく1回ではっきりしなかったら2回測る。さらに症状や、仕事の環境などを臨床で医師が細やかに診ていったら間違うことはありません。尾身氏が言うように民間がどうかということより、こういった運用の工夫が大切なのです。

11月中旬から全国の感染者数が2千人を超え、12月に入ると急増。12月24日は全国で３７４６人と過去最高に。重症者は６４４人、死亡者は54人を数えました。12月31日には感染者は４５３１人と最高を更新。栃木県でも１日の感染者は12月29日に83人となり、一気に医療がひっ迫してきました。

2020年12月24日 午後11:43

メリークリスマス　祝3333フォローワー　私を応援してくださる皆様の温かいお言葉で少しずつ前に進む事ができています。全て皆様の応援のおかげです。今後ともご指導ご鞭撻の程よろしくお願い申し上げます。　倉持仁

2020年12月30日 午前11:54

那須塩原市島方727-4　コロナPCRセンター那須塩原 1／18 open 宇都宮市中島町765-1　コロナPCRセンター宇都宮　1／4 open　ちびっこの科学と遊び株式会社　一般の患者さんと動線を分けるため、全国に広げるために、別に会社を作りました。よろしくお願い申し上げます。

2020年12月31日 午後8:49

本日のPCR86検体中陽性13例 陽性率15・1% なお、職員25人分のプール法の検体は5本全て陰性でした。陽性の方への連絡、保健所への連絡をして今年の業務は終了です。皆様、良いお年をお迎えください!

大みそかも患者さんが殺到した

感染対策に関してはまったくの無策にもかかわらず「Ｇｏ Ｔｏ トラベル」を強行する政府に対しては、怒りしかありません。２０２０年年末をこんな危機的状況のなかで迎えるとは。栃木県の感染者数は大みそかの12月31日でも73人と減る気配は一向にありません。

政府は当てにならないと思い、建設を決めたＰＣＲ検査センターの立ち上げ準備は、感染者数も増えてきたなかでのものでした。自前で検査をやるにあたって、貸してくれる土地を探しましたが、なかなか見つからなかったので、宇都宮の敷地と協力的だった那須塩原市で立ち上げることになりました。24日には機械も入って、ＰＣＲ検査の試運転をしましたが、うまくいきました。２０２１年の1月4日から自費で自前のＰＣＲ検査を５５００円で開始できます。

大みそかの31日にも工場、建設会社、美容室、福祉施設、銀行の方々が、次から次へと受診にきました。自宅待機で胸が痛いと言っても、会社から市販薬で対応するよう言われた患者さんがいるなど、もうメチャクチャです。

栃木県もこれまでにない感染状況です。今すぐできるコロナ対策を。一刻も早く緊急事態宣言を出して国民の動きを止めるべき。止めている1カ月の間に国会を開き、公共機関施設でのマスクと衝立義務化、知事

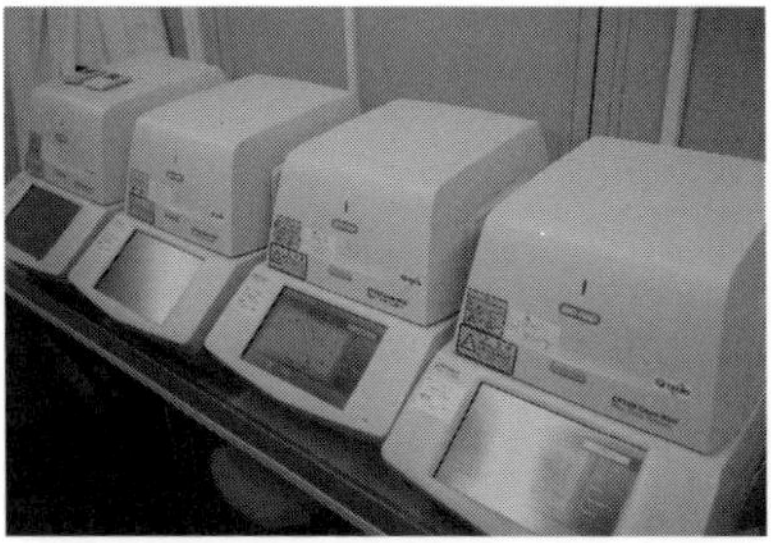

無謀ながらも大量にPCR検査機器を購入。感染症対策の基本はまず検査！　政府がやらないから、自分でやるしかない

の権限強化、医療機関への財政出動、無料でＰＣＲ検査ができる検査所の大量設置などを進めてほしい。

２０２１年はこれまでの過ちを繰り返すことなく、感染を抑えることができるのでしょうか。よいお年を。

２０２１年１月１日 午前９：24
第３波渦中ツイート

明けましておめでとうございます。今年も職員一同頑張ります。１日外来が始まりました。高齢者のコロナ陽性者も自宅待機を余儀なくされています。入院までパルスオキシメーターを貸し出し、経過を見る必要があります。

２０２１年１月１日 午前10：30
第３波渦中ツイート

栃木県でも３００名の自宅待機が出ています。65歳以上の高齢者が自宅待機などあり得ないことですが、当たり前になっています。緊急事態宣言を出し一度感染を抑え込まないと、どうにもなりません。命をまず優先に考えてください。遅れれば遅れるほど被害は甚大になります。

２０２１年１月１日 午前11：01
第３波渦中ツイート

軽症者用の経過観察のための施設も不十分で初めから、深刻に捉えておらず、必要と考えていなかった様子です。自宅待機者が増えれば、家族内感染が増え、どうにもなりません。なぜ、きちんと隔離施設を本気で準備していなかったのか、国も自治体も考えが甘いしチグハグです。

東日本大震災でもなかった医療の危機

当院は年末年始も休みなく診療しました。この時期はやはり、診てくれるところが少ないので、患者さんが殺到します。いろんなところでクラスターになりかけのような場所があって、いたるところにコロナの人がいるという感じ。これを見れば、1月に急増するだろうと予測ができましたが、栃木県でここまで増えるとは思いませんでした。

31日は午前中しか診療ができません。月の終わりに薬を全部数えないといけないからです。2千種類ぐらいある薬の、何錠在庫が残っていて、盗まれていないかとか間違って出していないかをチェックします。通常業務をやったあとで、診療後に夜中までかかります。

18時半までの診療だと、終わるのが紅白歌合戦が終わる時間を過ぎた午前1時ころになってしまいます。正月も診療しているので、さすがにそれはまずいと思い、大みそかは午前中だけの診療にしています。

「GoToトラベル」のあと患者さんがジワリと増えてきて、その後、工場系のクラスターが多くなりました。

年末年始は会食したあとに感染したとか、千葉から帰ってきたおじさんがコロナだったとか。そこから家庭内感染と、会社が始まったら職場内の感染が広がって一気に増えていったように見えました。

5日は栃木県で初めて1日の感染者が100人を超えました。6日に宇都宮市に緊急事態宣言が出て、13日に栃木県全体にも出ました。このころは発熱外来の患者さんが激増して、1日中、検査に追われました。コロナの濃厚接触者の人たちが、とにかくわんさかやってきたのです。

スタッフも全員、ご飯も食べずに、朝から晩までも病院敷地内駐車場の車で検査だけして、患者さんを帰しての繰り返し。そのときは、スタッフ同士でこれがこのまま1カ月続いたら、絶対に体が持たないね、なんて言い合っていました。

すぐに入院が必要な、状態の悪い患者さんが何人もいました。保健所も必死に頑張ってくれているのですが、掛け合っても「入院させるのは、どっちかひとりだけにしてください」と言われました。いや、両方必要だって言ってるじゃないですかと返しても、「どっちかは明日にしてください」という答えが返ってくる、仕方がない状況でしたが、感染爆発が医療機関のキャパも保健所機能も凌駕してしまっていたのです。

東日本大震災のときにもこんなことはありませんでした。当時勤務していた病院も3日間停電しましたが、それでも患者さんが困るような事態にはほとんどなりませんでした。いまは入院できないので、とにかく明日、また連絡するので家でなんとか頑張ってくださいと言うしかない。

患者さんは心配だったと思います。「本当に大丈夫なんですか」なんて言いながら帰っていきました。入院が必要な患者さんを帰らせるなんて、過去に二十数年医者をやってきて、これまでなかったことが今起きています。

PCR92件中陽性15例　陽性率16・3%　栃木県宇都宮市でこれです。皆さん危機感持ちましょう。自粛してください。

政府は人の命が失われるのを許容しているように見える

本来は入院治療が必要な患者さんが病院に入れないこと自体が大問題だという意識になるべきところ、埼玉ではこうですとか、旭川では大変ですと自治体単位で右往左往しています。医療崩壊している現状を見ているはずの厚生労働省なり政府なりの認知能力が、著しく低い。危機感がない。そんなことを許していたら、人の命が失われていくのに、感染者が増えたからしょうがないと、政府はこういう状態を許容しているような感じに見えます。全国的にコロナ病床は足りないし、私は医師としてそういう現状を許容できなくて、患者さんのことが気になって、自分で病棟を作る準備を始めました。

病棟を作る前に、1月4日から当院で、18日から那須塩原で、自費でできるPCR検査センターをオープン。検体を採取するだけではなく、検査結果も自分のところで出せるようになりました。

そんなさなかに、栃木県では1月8日に1日の感染者数が150人を数え、全国の感染者数も同じように1月8日に7957人と第3波のピークを迎えました。

2021年1月4日 午前11:38 第3波渦中ツイート

1/4本日より宇都宮市中島町765-1（インターパーク）にて自費コロナPCRを開始しました。一般5500円（税込）プール法6600円（税込）家族5人まで 結果は翌日メール報告です。郵送電話希望は+100円　症状あり、コロナの方との接触者は受診してください。よろしくお願い申し上げます。

2021年1月5日 午後2:15 第3波渦中ツイート

医療現場でやらなきゃいけないこと沢山。入院時期をずらして2回PCR　職員にプール法でPCR週2回 発熱外来設置の指導、補助金 隔離施設としての医師の遠隔診療システムの構築 人口20万人当たり1カ所のCTセンター 高度医療機関への財政投資　看護師医師ほかコメディカルへの正当な手当

検査ができなくて不安な人たちを救うPCR検査センター

検査機器自体は全部宇都宮にあり、那須塩原の検体や、のちに各地に作ったセンター（東京・浜松町、埼玉・大宮、茨城・水戸）の検体もここに集めて検査結果を出します。感染爆発で検査がまったく足りていない時期に対応できるように何とか間に合いました。

保健所が患者さんの状態をみてセレクトするなど、濃厚接触者の検査を絞り始めたころだったので、検査ができなくて不安だという人が街にあふれていました。そういう人たちを安心させることができると、少し安堵しました。

検査センターは人を雇って別会社にしています。区分けがきちんとできて、病院自体の負担を少し減らせました。保健所から回ってくる公費の検査は従来通りクリニックでやっているので、さらに自費の検査センター分も加わったら業務を逼迫させてしまうところでした。結果的に医療体制は強まり、負担はそれほど増えずという、悪くないやり方だったのではないかと思います。

患者さんにとっても検査会社に出すよりも当然安くできました（普通1万いくらかかるところ税込み5500円）。

2021年1月5日 午後8：06

第3波渦中ツイート

日本でのコロナの感染者はわずか0・2％　一方医療現場は皆保険制度設立以来の危機　このギャップを埋めるのが政治家の仕事　しかし、何もしていない！　皆保険制度を維持するのか、放棄するのかの大きな分岐点です。

2021年1月6日 午後10：28

第3波渦中ツイート

今のまま感染拡大容認では救急車を呼んでも病院が受け入れてくれないのでまた電話してくだ

さい、お金払えば見てくれます、みたいな、欧米外国型になり、皆保険制度は崩壊します。病院にかかりたい時にもかかれないのが当たり前の社会、重症でも病院がいっぱいだから仕方ないよ、になってしまう。

国民皆保険制度の放棄が明らかになった第3波

年末に向けて陽性者が増えているのに。なかなか緊急事態宣言も出さないし、ＧｏＴｏトラベルは年の瀬ギリギリまで中止にしませんでした。政治の認知能力の低下があまりにも激しかった。菅首相と二階幹事長が12月にステーキ忘年会をやったり、国会議員で会食のルールを作ったり。現場感覚が相当欠落しているようにしか見えません。県会議員、市議会議員の方はもうちょっと国民の痛みがわかるのでは。

年が明けて２０２１年になって国会で何を話すかなと思ったら、５人以上の会食はやめることを話し合ったというニュースが流れてびっくりしました。一方で第3波では3万５０００人余りの自宅待機者がでているのです（1月20日）。これはもう、患者放置で本当に国民皆保険制度を放棄する、というつもりなんでしょう。あの状況を許容して、人員も含めて日本は医療のキャパシティが少ないのに増やそうと一向にしないのは、欧米型の医療に切り替えようとしているようにしか見えません。

結果、北海道旭川や沖縄では病院や医療施設でクラスターが頻発し、医療が追い付かなくなり多くの方が亡くなりました。同じことをずっと繰り返しています。

医療圏レベル、自治体レベルの問題に落とし込んで、悪いのはその地域の医療体制が脆弱だからだっていう理由で根本的に見直しを計ろうともしない。

鳥取や和歌山や山梨といった優秀な知事さんがいるところは、比較的に早く動いたと思います。そうじゃないところに関しては、やっぱり国から言われたことをやるだけ。本来、住んでいるところで受けられる医療に差が出るのはあってはいけない。それが命に関わることになるなら、なおさらです。国民皆保険制度を守ることが大切。

政府が医療を放棄した

結局、第3波で旭川市が危機的状況に陥ったときも、自衛隊を送ってほしいと要請を出しても、北海道はなかなか動かない。政府もそれを助けようとしない。旭川が属している上川中部の2次医療圏の、もしくは旭川市の小さな問題として扱われました。

第3波で大阪がコロナ専門病院を作ったり、第5波で自宅療養におけるルールを作った神奈川モデルなど、命を左右するような方策が都道府県単位で決められていくのを許しています。

国がこんなことを許してはいけないし、感染爆発する前に大規模病床を作るとか、野戦病棟を作るとか費用を出して進めないといけません。

本来、命に関わることで自治体（医療圏）の壁は関係ないはず。交通事故などで、神奈川の人でも病院が空いていなかったら、東京に連れて行くか、千葉に連れて行くか、そのときどきで適切な方を判断していたはず。

大動脈乖離などの患者さんが出たときでも受け入れ先がなければ、いくらでも自治体の枠を超えて運んだりするやり方があるのに、ことコロナに関しては、自治体の問題、もっと言えば、保健所管轄の問題に落としこまれました。

これだけ医療がひっ迫していても、尾身氏が会長を務めるＪＣＨＯ（地域医療機能推進機構）の病院などそれなりの規模の病院で、空き病床がある病院はたくさんあります。今に続く、そして未来にも禍根を残す国民皆保険制度の崩壊という問題が噴出したのが、第３波だったのだと思います。

２０２１年１月８日 午前11：39

第３波渦中ツイート

今日も駐車場に入れないぐらい、車で満杯です。あちこちの職場で感染が出続けていて、飲食が問題だったのは１ヶ月ぐらい前の話だと思います。今は会社を含め止めないと、感染拡大は止まりません。し、仕方ないですが、若い方はやはり病識が薄い、強い深刻なメッセージが必要です。

目の前で死にかけた患者さんを診てコロナ病棟を作ると決めた

自分で病棟を作ることを決心させた出来事があります。こんなことが続くことは絶対に許せないと思ったケースです。

クリニックの受付に来た段階で苦しくて倒れてしまった患者さんがいました。もう肩で息をしているような感じで動けなくなってしまいました。これはコロナだと思って、防護服を着て自分で車椅子を押してＣＴを撮ったら、ひどい肺炎でした。院内のスペースで酸素を吸入させることができないので、外で横にストーブを置いて、車椅子に座っていただいて酸素を吸っていたんです。

保健所にも連絡をしつつ、すぐに入院させて挿管をしないといけません。救急車を呼びましたが病院に空きがありません。私も直接病院に当たりましたが、結局空きのある病院がなくて約5時間、搬送先が決まりませんでした。途中で酸素ボンベもなくなり、患者さんは苦しくなって、これでは持たないだろうという瞬間がありました。

我々はその間も診療しなきゃいけないし、救急隊に収容してよと言っても、ウチも酸素がなくなるからできませんと。幸い、その方は6時間ぐらいたってやっと入院できましたが、こんなことを繰り返していたら、ダメだなと思いました。

自分たちでベッドを持っていれば、酸素だけでも吸わせることもできるので、プレハブでもいいから患者さんを、入院をさせられるようにしようと思ったんです。

そのときに酸素をもっと確保しておいたほうがいいと考え、酸素を発注しました。そうしたら酸素ボンベの鉄のケースが足りなくなっていて時間がかかると言われたんです。そういう必需品をすぐに作れる体制がない日本。コロナ禍で何度もこういうことがありましたが、かなり怖いことだと思う。1月2週目のことでした。入院がぜんぜんできなくなって、栃木でも自宅療養者が1000人近くになっていたころでした。

もともと入院病棟を作りたいという構想はあったのですが、人手の問題があるので、最初は療養施設を作ろうと思っていました。ホテル療養をする人を診察しようと。病床を増やすのは、ハードルが高いことだったので、仲の良い議員さんや県、保健所などに相談をしたら、今ベッドが足りないので、病棟を持ったほうがいいという話になりました。
入院病床を診るとなると、夜中も対応する人員が必要で、いまの常勤医2名体制では無理です。私も若いころなら無理が効きましたが今はさすがに……。
しかしこれ以上、医療を受けられない患者さんを増やしてはいけない。なんとか医師を確保して、入院で中等症まで見てくれるなら、県はベッドを認めるということになりました。第3波の渦中、日付でいうと1月の15日くらいのこと。常勤医の確保はなかなか難しいので、非常勤の先生にお給料を上げて、来てもらうことができました。

2021年1月15日 午前11：03
第3波渦中ツイート

宇都宮市では高齢者や基礎疾患のある方は1回に限り3／31まで無料で希望者の方がPCR検査を受けられることになりました。少しずつ広がっています！

2021年1月17日 午後8：51
第3波渦中ツイート

宇都宮ですが、まだ判断はできないですが、陽性率はやや減少、クラスターは相変わらず出ていますが、受診する患者が爆発ということはなくピークは7-9日のような感じです。このまま減ってくれると良いです。

2021年1月17日 午後10：11

毎日100回以上手を洗っているので手の甲が変色してきました。が、もっとすごいのは当院の職員が泣き言も言わず遅くまで頑張ってくれていることです。コロナにも勝てそうです。春までもう少し頑張りましょう！

第3波の医療崩壊を教訓とした「宇都宮方式」

栃木県では第3波のピークだった1月だけで感染者数は2293人、死亡者数40人を数えました。自宅療養者が連日1000人弱もいる異常事態で、それだけ多くの医療の埒外《らちがい》に置かれる人を出してしまったわけです。そんな失敗を教訓にして医療体制をどう再構築していくかが課題でした。

第3波の医療崩壊を受けて、とくに市内に保健所が1カ所しかない宇都宮市の医療体制に県も市も保健所も危機感を持っていました。それまではあまり検査しないと言っていたのが、明らかに変わってくれました。「これからは検査件数を増やします」というような内容の書面が、保健所長名で送られてきました。

ツイートしたように、宇都宮市では高齢者や基礎疾患のある方に無料でPCR検査を実施してくれるようになったのです。

やっぱり実体験として大きな被害に遭うと、本質が理解できるようになるんですね。第1波に大クラスターが出た墨東病院のある東京都墨田区の保健所長さんもそうですが、独自によりよくする工夫をしてくださっています。変わらないのはいまのところ日本政府だけ。

栃木県内でも栃木医療センターといって国立病院機構のグループの病院にいる先生方が、一生懸命コロナの患者さんを診てくれていました。ホテル療養でもなかなか医師を出してくれる病院が少ないなかで、ホテル療養を担当してくれていました。その栃木医療センターの先生方が中心になって、保健所とホテル療養を担当していた看護師さんなどで、コロナ医療を考える会議が始まったのです。

その間、我々の施設も参加をさせていただき、コロナの患者を診療できるようになった宇都宮市内の病院が、当院を含めて5カ所と、ホテル療養ができる施設が2カ所、その会議に加わっています。それに保健所と県のコロナ対策本部とで定期的に会議をする形もできていたのです。その会議で陽性の方は入院のうえ検査をして、軽症者はホテル療養で、という原則が作られました。

ただどうしても、流行時にキャパオーバーしたり、家庭環境などで自宅療養を希望する方もいたりするので、例外も出ることもあるでしょう。しかし、こういうルール作りができたことはとても貴重なことだと思います。

ホテル療養者にしても自宅療養者にしても、熱と酸素飽和度だけをちょっと測って放置されているのは医療上、ありえないこと。計器類を何も見ないで飛行機を操縦しているようなもので、コロナの患者さんは、さしずめ、そんな機内にずっと閉じ込められている乗客です。

宇都宮方式というのは各病院の協力が得られないとできないもの。幸い、宇都宮では軽症とか中等症の患者さんも診ると手を挙げてくださった病院が多い。

それぞれの病院が、力を入れて、自前で既存の病床を削って、コロナ病床を捻出しています。当院もその1つに入っています。ほかの県のことはわかりませんが、患者さんを入院させて治療に当たるこの宇都宮方式は、当たり前のことですが、貴重なシステムだと思っています

第3波では栃木県の緊急事態宣言が解除されたのが2月28日。東京など1都3県に至っては、3月21日まで解除されませんでした。患者さんはもちろんのことですが、ダメージを受けた医療機関も多かった第3波。少し、感染が落ち着き始めたころに、考えたり実行したことを紹介したツイートをまとめましたので、紹介します。

「第3波渦中、怒涛のツイート集」

2021年1月23日 午前10：27

PCR検査をやることを未だに炙り出すとか、掘り起こすとか、言ってる人、悪質です。感染症の基本は検査→診断です。その中に無症状の方、症状の軽い方、症状なくても肺炎がある方、重症重篤な方様々なんです。間違った知識で匿名をいいことに適当なことを言うのはやめましょう。無責任です。

2021年1月23日 午前10：30

PCRの検査と経済や生活の困窮、自殺の問題などを結びつけるのも非科学的です。結核のPCRをやることが経済にマイナスですか？ 検査することで自殺者が増えますか？ その後の対応が大切で今は不足しているからです。検査をしなければ何も始まらないことをいい加減理解してください。

2021年1月24日 午後8：23

あるテレビで与党の政治家の先生に、コロナ対策を何もしていないといったら、激怒されたので、今後は反省して、ほとんど何もしていない、と表現を変えて注意して発言して参ります。

病棟で使用する陽圧式のヘルメット型フェイスシールドです。病室の外から空気を送ります。第3波あたりから使っています

2021年1月25日 午前9：30

今回の問題の本質は、病院のベットや隔離施設が圧倒的に足りなくなるほど感染が拡大してしまった事　この増え方を予測せず、GO TOなどの見せかけの経済対策に明け暮れた事　無症状感染者をいかに見つけるかという初めからわかっている大きな問題を無視して軽視した結果です。すぐ戦略の変更を！

2021年1月28日 午後6：02

本日までの栃木県のコロナ感染者は3654人 当院でその10%を診断、治療しています。

2021年2月1日 午前9：33

やはり病院、福祉施設のスタッフにプール法でいいので最低週2ぐらいでPCR検査やらないと院内感染の早期発見ができません。当院では昨日まで193回プール法で検査して全て陰性でした。1月からは毎日全職員しています。

2021年2月1日 午後11：50

クラスター対策の不備、PCR検査抑制の失敗、感染拡大容認の政策、全てが間違っていて、一年たってもなんの進歩もないまま。きちんと総括して、あやまっている点はあやまっていたと認め、作戦を立て直さないと、次の波の時には被害が甚大になります。過ちを認めブレインの入れ替えが急務

2021年2月6日 午後9：30

第3波は、ステージ3になったらどうとか生易しい話ではなく、法に反して、適切な医療が受け

られず自宅に放置された事で亡くなった方が多数いるという事実です。緩んだとか、国民にお願いとか、1年もたってあなた達なにを言っているんだという忸怩たる思いです。

2021年2月9日 午前1：39

栃木県の変異株の解析、遺伝研の井ノ上先生、川上先生が手弁当で必死に解析してくれてます。せめて少しだけ国が材料費と人件費を出していただければもっと早く進みます！ 川上先生、井ノ上先生がんばって!!

2021年2月15日 午前8：19

今まで1万件以上の患者さんをみてPCRをしてきたが、偽陽性は0でした。臨床像とリンクさせる、再検するなどで0です。やってるかいないか知らないが、いい加減なことを書いてはいけない。

2021年2月16日 午後2：52

参議院予算委員会ヒアリング 予算委員長山本議員 自民党理事の青木議員 立憲民主党理事の森議員ほか11名 2月16日10時 国立国際医療研究センター病院 國土理事長、杉山病院

長　慈恵医大教授　大木隆生先生 インターパーク倉持呼吸器内科　私ごときが恐縮ですが、意見を述べさせていただきました！

2021年2月17日 午前1：54

私は医者ですから、何党関係ない。患者さんの為に良い事は良い悪い事は悪い、ただそれだけ。大工さんは大工さんとして、教師は教師として、公務員は公務員として、警察官は警察官として、プロとしてプライドを持って職務を全うしていることだと思います。皆様のおかげですし、絶対に負けません！

10床の病床が完成し、患者さんの受け入れ開始！

2月5日から工事が始まってコロナ入院病棟の建設。2月後半完成を目指すという、まさに突貫工事です。まずは整地し、鉄板を敷きます。子供たちのキャンプ場でカブトムシを育てていた場所なので残念ですが、一部を残して駐車場、コロナ病棟にします。第4波に備えます！

感染対策も万全を期して、臨時コロナ対応病院のモデルになるような病床を目指します。当院としましては、軽症から中等症患者までを一貫して診ることができますので、コロナの臨床像、治療法などを実践して確立していきたいと考えています。

2021年2月22日 午前8：53
第3波渦中ツイート

今日から50名以上の業者さんが入り、一気に4日間で電気ガス 水道酸素を完成させてくれます。抗体検査の機械も入ります。治療後の経過観察も！ ＰＣＲ、抗体検査が当たり前にできる事もコロナ制圧の第一歩。

2021年2月25日 午後1：38
第3波渦中ツイート

お部屋の3箇所に紫外線殺菌灯がついています。患者さん入れ替え後、30分照射すればウイルスはほぼ死滅します。ヘパフィルター付きの陰圧システムも入るため、感染に対してはとても強い部屋になります。

2021年2月27日 午前9：49
第3波渦中ツイート

病棟ほぼ完成しました！ 受け入れ開始します！

もともとは、市街化調整区域などの規制があって、申請を出して許可を取るというプロセスが必要なのですが、コロナに携わる施設は、そういう要件が緩和されて面倒な手続きもなく進めることができました。

宇都宮は緊急事態宣言を出していた状況だったので、市も県ももう最優先でやってくださいと。通常なら水道の工事をするだけでも1カ月待ちになりますが、宇都宮市佐藤市長の指示のもと、すぐに手配してくださいましたので、とてもありがたかったです。1カ月弱で完成にこぎつけました。

クリニックは最大18床まで病床は持てるのですが、最初は10床でスタートしました。プレハブがあっちこっちでオーダーがかかっていて、すぐ手に入らないという状況があったのと敷地確保の問題がありました。その後、問題は解決しまして、第4波の前に6床増床することになります。

県は補助金の関係もあるのか、その6床はフェーズ3か4になったら動かしてくれということになりました。結局、第5波ではそれでも足りなくなり、テント病床や重症者病床も急きょ作ることになるのですが。人手不足解消のために来てくれることになった非常勤の医師は、クリニックの近くにアパートを借りて、そこに泊まってもらうことになりました。これでやっと、苦しんでいる患者さんを診察して、すぐに治療することができるようになりました。

Column

第3波の教訓と対策

第3波で医療が受けられない人が続出。国民皆保険制度の崩壊がより鮮明になった。指定感染症にもかかわらず、自宅待機を余儀なくされた3万人以上の国民がいた。指定感染症という法律が守られなかった。国の責任は重いし、二度と同じことを繰り返してはいけない。100年に一度の災害時に何をやっているんだという思いが強い、何が国民のために働く内閣だと思う。

1年前から繰り返し言われていたことを、徹底するしかない。とにかく対策の入り口を間違えると、何をやっても追いつかなくなるという、新型コロナ感染症の怖ろしさを実感した第3波だった。

教訓

- 対策が遅れると一気に患者さんが増えて、医療が追いつかなくなる
- 自宅療養者の放置は危険
- 指定感染症の適用と国民皆保険制度が実質崩壊
- 必要な方にPCR検査が制限なくできないと福祉施設、医療機関の大クラスターは防げない

対策

- 早期発見のため、検査数を増やす。とくに病院、介護施設の職員、入所者、入院者の定期的PCR検査の実施
- 換気、衝立など最新のデータに基づく感染対策の確立が必要
- 感染が収まっている時期に病床を準備するなどして備える
- 外来で治療薬を使えるようにする

第5章

ドキュメント第4波、第5波

「医療が受けられない」戦争中以上の危険な状況に

第4波

「早期診断で重症化させない」

2020年3月16日 午後11：18
第4波前ツイート

倉持仁
@kuramochijin

初めての体験でした！　貴重な体験をさせていただきました。皆様からの感想をお聞かせいただき、それをもとに反省し、さらに頑張っていきたいと思います！　2021年3月16日 参議院予算委員会 公聴会

尾身茂氏とともに国会へ行ってわかったこと

3月16日の参議院の公聴会で公述人として呼ばれて行ってきました。

臨床医の立場から、検査体制の不備や感染対策の拡充、日本人のデータをきちんと取ることの重要性を訴えてきました。困ったのは控室が尾身先生と一緒だったこと。ツイッターで批判している

ことをどう思っているのか少し心配でしたが、尾身先生とは挨拶した程度で、直接、話をすることもありませんでした。

あの場で同じ質問をされてわかったことは、尾身先生はやはり、公衆衛生や疫学の視点でものを見ているということ。考えていることのバックグラウンドが私とはぜんぜん違う。コロナ禍の前までは臨床医からしたら感染症と疫学はマイナーな領域だったので、疫学的視点でものを考える人の話を直接聞けて、非常に新鮮でした。

我々臨床医、あるいは個別の臨床科の研究者は、目の前の患者さんや目の前の病気を診断するところから始まるのですが、疫学的な視点というのは、マクロに物事を見る、マクロに医療を見るという感覚。まずデータを全部取って、そこからどんなことが言えるか論理を組み立てていきます。

コロナに関していえば、コロナが全部収束すれば、コロナのことがわかりますという論法。だから私からしたら、ずっと様子を見て何もしないように見えるのですが、それはエビデンスが豊富にないからだと理解しました。大きくマクロで見てきちんとデータを取れたら、結果は出るという感覚で物事を考えていらっしゃるので、現状からはちょっと外れてしまうところがあるのかもしれません。

我々、臨床医はやることが決まっていて、価値判断や判断基準は患者さんにプラスになるかならないかです。多少、エビデンスから逸脱しようが、その患者さんにとってベストだと思ったら医者としてやるべきだと判断します。

コロナの全体像はまだ見えていない

たとえば、我々からすると何らかの理由でＰＣＲ検査ができないと言われても、いや、それは、患者さんには必要だから、できないじゃなくてやるようにしようと思います。ある意味、理想主義的なのかもしれません。我々は理想を実現していかないと患者さんを救えません。具体的なところでいかないと、医療は持たないのです。

尾身先生は現状を見て、物理的に資金的に人的にできないから、今やれているデータでなんとかしましょうという現実主義だと思います。

ただ、現実がどこまで見えているかというと、コロナ自体まだまだ全体像が見えていません。たぶんどの先生もその一部しか見えてないところがある。たとえば、保健所の人は電話で聞き取りをして、発症初期のことは少しわかるかもしれない。重症の患者さんを診ている大学病院や大きな基幹病院の先生もそこだけは詳しくつかんでいても、その前の外来の状況でどうだとか、家でどうなのかはわかりません。

コロナの情報はどうしても分断化されてしまいます。その全体像が見えにくいというのが問題としていまも残っています。それは、尾身先生が話されているのを聞いていても、わかったことでした。尾身先生の話は常に抽象的で個別の事象について、バラバラに分析をしていくものです。

これからは、分断をつなぐ研究が必要になるでしょう。具体的な成果を積み重ねる我々臨床医のデータも対策に生かしていくようにしなければ。

ただ、専門家が、抽象的なアドバイスしかできなくても、リーダーが危機に対してどれだけ敏感に受け止めるかで結果は変わってきます。ニュージーランドや台湾の女性リーダーは危機にとても敏感でした。日本の首相は……。

2021年3月21日 午後2：19
第4波前ツイート

PCRを行うため、名古屋大や自治医科大から本職のテクニシャン、臨床検査技師の人が来てくれました。昨年12月24日立ち上げ時は検査技師1名で始めましたが、3人になりました。4月からはさらに3人増え、検査技師さんも10名になり十分な検査ができるようになりそうです！
職員の皆様のおかげと感謝！

2021年3月29日 午前11：21
第4波前ツイート

PCR法の説明です。個人5500円家族プール法5人迄6600円 ネットで予約→自宅に容器→朝　だ液とり、店へ持込 原則翌日結果メール通知 診断書2000円 郵送は300円 東京都港区浜松町1-18-11　1階 埼玉県さいたま市大宮区天沼町1-406-1 茨城県水戸市住吉町74-3 宇都宮市中島町765-1 那須塩原市島方727-4

2021年3月31日 午後3:36

浜松町のPCRセンター アクリルの衝立と、ボード、エコな段ボールでできたダクトで、飛沫とエアロゾルを完全にブロックします。飲食店でもこのような取り組みしていただけますとたとえ隣の人がコロナでもうつりません。

賃貸の物件探しで断られまくったPCRセンター

前にも書きましたが、感染が落ち着いているときにいかに感染を抑える備えができるのかが、次の波を抑えられるかどうかのカギになります。そのためには、PCR検査体制の拡充が欠かせません。4月1日に自費で安く検査ができる検査センターを茨城県水戸市、埼玉県さいたま市大宮、東京都の港区浜松町でオープンしました。

最初は機械だけあって人がいない状態でしたが、当院がコロナ対策で有名になったこともあってか、大学にいて熟練した技術を持った方とか、新卒で当院で働くことを希望する臨床検査技師がきてくれました。もちろん、雇用の条件もよくしています。これで1日に最大1800件の検査ができるようになりました。機械のキャパとしてはもっと人がいれば、最大6000件できます。その後、県や市からも検査をやってくれと頼まれるようになりました。成人式をやるためのイベント事前PCR検査や、飲み屋街で働く人たちへの無料PCR検査、県外出張者へのビジネスPCR検査など、自治体が政策として掲げる検査です。

検査を増やすのは国がやるべきですが、第3波でもまったくやる気がないというのがわかったので、自院で安くできるように模索してきました。ある程度コストを下げるにはスケールメリットが必要です。それは検査件数が増えないと達成できません。それで支店を東京や埼玉に作りました。埼玉や浜松町は家賃が高いので、なかなかペイしませんが、それよりも大変なことがあったのです。ビルの1室を借りるのが大変で、賃貸を申し込んでも実際に貸してくれるのは100件に1件ぐらい。どんどん断られます。絶対に嫌だと言われます。お金の面で折り合っても、いざ実際に決めるというと断られる。那須塩原は自分で土地を買ったから、勝手ができますが、ほかのところは周りの人たちに反対されます。浜松町もいまのところを借りるまでに100件ぐらいいろいろあたってやっと、でした。

現地に行って向こうのオーナーさんとやり取りをすると、結局、「同じビルに入っているほかのテナントの人に嫌がられるので反対です」と言われてしまいます。

やっぱりPCR検査をやるというのはこういうところでもハードルが非常に高くて、大変だということがわかりました。大家さんに説明する労力や人を雇うのも難しいので、今はその労力を振り分け郵送にシフトして、全国から送っていただき検査をする方向を強化しています。感染拡大期でなければ2日ぐらいで結果は出せますし、155ページの3月29日ツイートに書いているように、コストも下がったので使いやすいと思います。

2021年4月6日 午前8：45
第4波渦中ツイート

N501Y（イギリス株＝アルファ株）の変異のみに対してのみの対策に終始。他の範囲も広がっているのだから、この対策では早晩失敗する

2021年4月9日 午後5：10
第4波渦中ツイート

国の通達で部屋がないなら、変異株も特に分ける必要なしとの通達があったそうです。努力せず、できなくなったらすぐ逃避、これでは感染拡大は治りません。こんな場当たり的な対応に終始して、本当に終わっています。今回の日本はとても残念。

2021年4月11日 午後9：06
第4波渦中ツイート

厚労省は変異株の蔓延を放置容認する対策をとった。これが現場で一生懸命必死に感染拡大を抑えようとしている全ての医療スタッフの気持ちを裏切った。国が責任を取れるなら、もう多数の被害者が出ているので言っても詮なきことだが、国の中枢がこれほどまでに劣化してしまったのは何故だろう。ひどい

アルファ株の対応も後手に

4月5日に大阪、兵庫、宮城に「まん延防止等重点措置」が適用され、12日には東京、京都、沖縄も追加された。14日には全国で4307人の感染者。大阪は1130人と危険な状態に入った。去年と比べて、アベノマスクすらない、一律給付金もない、ワクチンはもともとない、変異株は脅威、なのにまったく変わらないゆるい蔓延防止策、検疫体制。法整備もPCR検査拡充もない。1年経ち、これほどまでに進歩しようとしないとは。これでは、感染は拡大するばかりです。

正直、アルファ型変異(イギリス)株がこんなに早く流行するとは思いませんでした。しかし厚労省は従来株に感染している人と必ずしも分ける必要はないと言います。検疫もしかりだし、第1波のころからなにも進歩していません。ここまでくると、能力が足りないというよりも、道徳的に大丈夫かと思うようなことを国はずっとやり続けています。

結局、それでいいのか? と言っていてもしょうがない。政府にはもう任せておけないので、自分でやるしかないと思ったら、今やあらゆることを日常的にやるしかないって感じです。今の政府って、そもそも存在自体いるのでしょうか、みなさん!

PCR検査を使うことで変異を知ることができるので、2月からアルファ株はやりだしていましたが、どんどん増えてきています。

２０２１年４月２９日　午後８：04
第４波渦中ツイート

とうとう栃木県でさえ５０１の変異株が40％を超えてしまった。もはや大阪のようになるのは時間の問題。今自分たちができることをやるしかない。今後どんな状況になるか想定しつつも、どれだけ被害が大きくなれば国の非が咎められるのか、壊滅的な状況にならないと認識できないのかと、断腸の思いです。

２０２１年５月７日　午後10：02
第４波渦中ツイート

変異株が蔓延したから遺伝子解析をする意味が薄いと厚労省！　たわけ者！　他の株が広がらないか、ちゃんとモニタリングしてください。自分たちの対応が後手に回った結果甚大な被害を及ぼしつつあるのに全く自覚なし。インド株も広がったら、しゃーないわーってする気だ。亡国

変異株解析で治療法確立を目指す

このときに取り組んでいた変異株の検索ではＥ４８４Ｋという、日本独自で増えていた変異株が、２０２１年春の関東地方では多かったということがわかっている。

５００検体ぐらいを、国立遺伝学研究所の川上先生に送って、遺伝子のゲノム（遺伝情報全体）解析をやってもらっている。これにはものすごい手間とお金がかかります。そもそも専門的な知識と

技術がなければできません。3万文字で出てくる解析結果を読み解くわけですから。

そのうえ、どこに変異があるかどうかをチェックする作業が必要で、1人の人が手仕事でやっていると、時間がかかりすぎます。全自動の機械を使うと1検体をやるのに20万円くらいかかってしまいますが1～2日でできるというメリットがあります。いずれにしても、手間とお金がいる研究です。

変異を調べて、その株に感染した人がどういう症状を出すかを解明することによって、将来的には、変異株に有効な治療法を素早く確立する道筋をつけることができます。それ以前に、変異株を検索することでその広がりを素早く見つけなくてはなりません。

厚労省がこういう研究に意味が少ないと言うのは、亡国的な物言いです。これは言い過ぎでしょうか。変異株の入れ替わりを見ると、どの株が強力なのかが見えてくる。関東地方で多かったE484K株は従来株（武漢株）が置き換わったもので、最初のうちはワクチンの効果を減弱させるのではないかと怖れられていました。

一方、関西ではアルファ株のN501Yが増えました。どっちが強いかというとN501Yの方が強くて、全国的に主流になってきて、東京もあっという間にアルファ株に置き換わっていきました。遺伝研と共同で従来株とアルファ株の症状の差を調べてきました。今後はデルタ株の研究も進めなくてはいけない。

これまで、インフルエンザのようなより軽い感染症でも、今年の型はこういう症状があるという臨床像を、明らかにするのが通例でした。コロナに関してはそういう従来の医療の枠からはだいぶ外れていて、そもそも検査は必要がないといわれ、細やかな情報やデータが日本には少ない。たとえば変異株が増えたら、ワクチンが効くかどうかの検証をするなど、研究面に予算をちゃんとつけるべきでしょう。

コロナの場合、すさまじい頻度で変異をして、さらにそれが臨床像を変えてくるところがあり、厄介です。従来のウイルスでもここまで、その変異自体が医療現場にインパクトを与えることはありませんでした。ウイルスのゲノム解析に政府も本気になってほしい。変異株に関しては臨床と研究の現場が一体となって、これからも追いかけていくべきものです。

第４波のころには当院でも臨床を重ねることで、コロナの実態が見えてきました。

２０２１年４月10日 午後８：15

まだ症例は少ないが、無症状感染者と言ってもその後の経過を丁寧に見れば、無症状の方はほとんどいません。海外の論文だけ見てわかったふりするのは良くないと思います。子供達の感染も然り。きちんと検査をして丁寧に臨床情報を集める必要があります。三重県、世田谷区、山梨がお手本です。

２０２１年４月24日 午後５：40

コロナにかかった人で無症状ってほとんどいないんです。熱がないから自覚してないことが多くて、症状の軽い重いはありますけど、肺炎を含めなんらかの症状所見はあるんです。それを知らないで、無症状無症状言うのは無知ですよ、といっています。そして無責任につながります。

見えてきたコロナの実態「無症状者はいない」

コロナは無症状者がウイルスをまき散らすから厄介だ、と言われてきました。実際に2021年3月以降入院患者さんも診るようになったのでわかってきましたが、無症状の患者さんはほとんどいません。濃厚接触者に認定されてから、発症して、ホテル療養か入院して退院したあと、1週間、2週間と後遺症までをフォローアップすると、症状がない人は1%から2%しかいませんでした（詳細は左図）。患者さんに聞けば、何らかの症状はあって、それはほぼ風邪症状とかぶるものです。

コロナに無症状はほとんどない——「コロナ患者の初期症状」

発熱	46例	75%
咳	38例	62%
頭痛	37例	61%
だるさ	37例	61%
咽頭痛	25例	41%
肺炎	25例	41%
味覚障害	23例	38%
鼻汁	18例	30%
痰	16例	26%
鼻閉	14例	23%
嗅覚障害	14例	23%
食欲低下	12例	20%
悪寒	12例	20%
完全無症状	1例	1.6%

（インターパーク倉持呼吸器内科調べ2021年3月〜6月）

2021年5月27日 午前9：52

第4波渦中ツイート

当院3月末からの入院患者61名中全くの無症状は1名（1.6％）のみ、肺炎は25名（40％）に認め、咳、悪寒、頭痛が61％、味覚障害は38％に認めました。第4波の特徴です。すぐ論文にします！

2021年5月28日 午後7：48

第4波渦中ツイート

コロナ感染後、退院、1回目の退院後外来まで経過を見ますと、熱があった方（37－39度）が61例中75％でした。宇都宮市は軽症とか関係なく一度病院に入院させて精査後ホテル療養という方針を取っていますから、症例に偏りはありません。重症だけ除外 つまり、25％は熱がない方です。

感染者の症状について第1波、第2波のころは細かくはわからなかったので、私も感染者の4割が無症状などというツイートをしてしまって反省していますが、実態は違うのです。

当院では、検査から入院まで一貫して診られる体制ができたおかげで、コロナの実態が1つ見えてきたと言えます。当然、感染が疑われる患者さんは私の判断で検査をしてきましたし、臨床医が検査の有無をきちんと判断できたのは大きいと思います。そして感染者を検査すれば正しい臨床像がわかるのです。

無症状というのは単純に患者さん本人が無自覚なのか、あるいは検査がちゃんとされていなくて医師が診ていないだけ。とくに第1波、第2波のときは、本人がなんでもないですって言えばもう無症状みたいな扱いになっていました。

保健所管轄になると、丁寧な診療がなされていないまま、ほとんどの方は「軽症だから、自宅療養に入って」と言われます。

でも本人によく聞けば鼻が詰まったり熱がすごく出たり、そういえば3日前にちょっと下痢したとか、今も味覚だけはないという人が、たくさんいます。じつはコロナのきちんとした臨床像というのが、大規模では調査されていない。そこもすごく問題です。

なぜかというと、コロナの診療体制が通常の感染症の診療体制とは、乖離してしまっているから。たとえば、子供たちの間でよく流行するアデノウイルス感染症とか、RSウイルス感染症とか、りんご病でもなんでもいいのですが、亡くなるリスクが小さくても、咳が出て鼻水が出るくらいの軽いものでも、小児科医はちゃんと丁寧に診て治療するものなのです。

でもコロナの場合は軽いと無症状、あるいは軽症とされて自宅やホテルに置いてあとはもう医療が受けられないという状態で放置される。そうなると周りに感染が一気に広がる。そうならないように、163ページに挙げた症状のうち2つ以上当てはまる方で、人混みに出た経験がある方はPCR検査をして、感染の有無を調べることが、スタンダードな医療なのだと思います。

2021年4月18日 午後0：57 第4波渦中ツイート

これからコロナ第4波を迎え撃つにあたり、今できること。すぐ診断できること＝PCR、CT
しっかり隔離経過観察できること　悪化を早期にとらえ早期治療することが大切。自治体は至急ホテルの確保と医師会の協力を取り付ける必要があります。

2021年4月18日 午後7：58 第4波渦中ツイート

大阪では重症者のベッドがなく、困っている患者さんがいます。隣県へ搬送したりすれば助けられる可能性があります。大阪の政治家の方動いてくださいませんか？

重症患者が増えると医療は追い付かない

2月28日に緊急事態宣言を解除した大阪（岐阜、愛知、京都府、兵庫、福岡も同日解除）は結果論ですが、時期尚早だったようです。大阪は第3波の入り口でも都構想の住民投票をやっていました。大阪に限らず、政治的な行事と並行してコロナ対策をしなきゃいけないので、効果的な対策が歪められてしまう面があります。東京五輪もそうでしたが、どうしてもお祭りをしながら、受験勉強をしているような無理が生じます。

最初のタイミングで生け贄《にえ》になったのが「Ｇｏ Ｔｏ」の沖縄であり、旭川でした。それが第４波では最初に解除した大阪や兵庫の方々が、アルファ株の直撃を受けて犠牲になりました。

コロナは一度感染が広まると歯止めが利きません。重症者が増えれば増えるほど医療が回らなくなり、できることがなくなってきます。そこがやはり怖い。神戸あたりから増えだしたアルファ株の感染力の強さもあって、〝火事〟が燃え広がる速度も規模もこれまでにないものでした。

もともと日本は、医療の余力がないので燃え出したら止めるのは容易ではありません。大阪はまさに大規模にそれを体験してしまったのだと思います。第４波で言うと、ほかの地域の感染拡大は大阪の悲惨な状況を見ていたので抑えられたという点は正直、あると思います。

大阪は患者数が一気に増えすぎて医療にアクセスできない、検査できない状況のまま重症化して亡くなってしまったという悪循環が生じました。逆に第４波の東京のように、感染者数を抑え込めば、医療はある程度、機能するところまで来ています。

２０２１年４月28日午後９：08

第４波渦中ツイート

栃木のスーパーのお惣菜売り場でおばあちゃんが、必死に近所のおじさんと、おばちゃんに相談してました。おじいちゃんがコロナになっちゃって人工呼吸器をつけるかどうかについて。三者会談の結果挿管をお願いすることになったみたいです。色んな意味でコロナが広がっちゃいけないと再認識しました。

2021年5月4日 午後6：23

第4波渦中ツイート

大阪では感染者のうち入院して医療を受けられる方はわずか10％。自宅待機中はもちろん、ホテル療養中もまともに検査や投薬を受けられない。この状況が当たり前になっていて問題。第4波では3波どころではないと予測され、自宅、ホテルでもちゃんとＣＴ撮って、ステロイドなど投薬できるように至急すべき

重症治療重視から、早期治療へシフトすればコロナは治る病気になった

結局コロナの対策は、第1波から一貫して重症化した患者さんだけを診るための重症病床を増やせばいい、という結論になっています。しかし医療従事者の人手とエネルギーを必要とする重症病床は、キャパシティが限られています。

臨床の経験から言えるのは、とにかく早く肺炎を見つけて、早く治療することで重症化もほぼ防げるということ。しかし、日本のコロナ対策では27ページに書いたように、最初からそういう視点に欠けていました。

重症化する直前に鞭を入れる治療ではなくて、早い段階から治療に介入する流れになっていけば、コロナはもう治る病気になっています。当院では、今それを一生懸命やっています。レムデシビルとステロイドをちゃんと確保して、ワクチンを打つまでの間に肺炎の治療をしっかりできるような体制を作ることが大事です。

第4波の特徴として10代の若年層にも感染が広がったことが挙げられます。14歳の子供でも入院するようなことは、第3波まではあまりありませんでした。10代、20代でもひどい症状になる方はたくさんいます。自院でも入院ベッドを持つことで、若い人でも肺炎が多いということがわかってきました。これはアルファ株特有のものでしたが、のちのデルタ株はより若年層への感染力を強めてきました。

あと、外来も含めてかなりの人が、後遺症に苦しめられています。ただその後の治療法というのがまだ実はちゃんと確立されていません。そこもこれからエビデンスを作って広めないといけないところだと思っています。

2021年5月8日 午後4:05

第4波渦中ツイート

ホテル療養も熱、酸素飽和度測って症状かるければ良いとかでは、ダメなんです！普通にCTして薬もらえるようにしないとダメなんです。症状ないって言ってた人がひどい肺炎があったり、呼吸不全をきたしていることはざらにあります。特に喘息とか間質性肺炎がある人は！事前に気づいてない人が多いです

当院は数少ない軽症者も本格的に治療するクリニック

大阪の感染者数が急増、4月28日と5月1日で1260人を数え、ピークを迎えました。自宅療養者も最多で約1万5千人に。全国の感染者数、東京の感染者数も5月8日にそれぞれ7233人、1121人とピークを迎えました。アルファ株による感染拡大は急激で、被害が甚大だった大阪では、府が発表した資料によると、第4波期間中に19人が医療を受ける前に自宅で亡くなったといいます。

しかし、コロナで苦しんだのは重症者だけではありません。軽症の方の病態の厳しさもわかってきました。後遺症に関しては、若い方もお年寄りも年齢は関係ありません。言えるのは、肺の症状が残ることで、調べるとぜんそくの病態になっている人が多いということ。まだ世界的にも論文も出てないですし、そういう病態があることもあまりアナウンスされていません。なぜかというと軽症の人たちは、入院せずに自宅療養をしていて、医療を受けられていないからです。

肺炎の患者さんはこれまで数えきれないほど診てきましたが、肺の機能はコロナほど落ちないんです。コロナほどダメージはきつくありません。コロナの怖いところは軽症でも、倦怠感など後遺症がひどいところです。コロナに感染した後の患者さんを丁寧に診察すると、ぜんそくが隠れていることが多い。ですからぜんそくの治療をすると、熱が下がったりだるさが改善していったりします。

これは当院のように、軽症から丁寧に治療を開始して、後遺症までフォローしていないとわからないことだと、自負しています。

2021年5月9日 午後5：06

第4波渦中ツイート

ステロイド、レムデシビルなどで治療後改善を認めていましたが、退院後再度悪化を認めています。発症10日間で隔離解除の一方、肺炎が増悪する14日後ぐらいで外来経過観察も大切です。

2021年5月9日 午後6：06

第4波渦中ツイート

公費51件中陽性6陽性率11・8％　自費89件中陽性3陽性率3・3％　総数では140内陽性9陽性率6・4％ 増えてます。会食やめてください。感染対策を！

臨床医だから最新の知見が更新できる

早めにステロイドやレムデシビルで治療して回復しても、肺炎がぶり返すことがあります。それほど重症化するところまではいかなくても、コロナの軽症治療にあたって気をつけたいところです。保健所が管轄する先の2週間とか1カ月はしっかり見ていかないと。後遺症のこともありますし、機能が低下したままの状態でコロナに2回、3回とかかると肺がダメになってしまいますから。

エクモや人工呼吸器を要した患者さんも、だいたい2週間から3週間ぐらいは経過を見ていくわけですが、それは軽症の人でも同じで、フォローアップしてきちんと治療しないとそれなりのダメージが残るんです。

コロナは、まだまだエビデンスがない世界で、いろいろやっていくしかない時期が続いています。そういうときは、やはり現場の感覚や経験から、将来、答えになるであろう、治療法なり、感染対策なりを導き出していかなくてはなりません。臨床医はそれがやりやすくて、臨床をしていない方はそこにたどり着くまでに時間がかかるということはあるでしょう。

厚労省の診療の手引書などに関しても、更新されていない情報が多く載っているのですが、大きな病院の先生方は、そこから逸脱した治療はできないんですよね。

私は個人なので、現場の知見を常に更新していける強みがあるんです。いわゆる軽症・中等症への効果的な投薬や症状の有無、後遺症のフォローアップ、研究機関と組んだ患者さんのゲノム解析などがそれに当てはまります。

２０２１年６月３日 午後４：05　第４波渦中ツイート

インド株の扱いは従来の英国株と扱いが同じとの国からの通達だそうです。現場も県も市も、病院スタッフもはーっ、って感じ、トップがやる気ない、暗愚だと、国が滅びるなぁー、と改めて思いました。全然インド株の蔓延を抑えようと言う気はさらさらないそうです。

２０２１年６月７日 午後１：05　第４波渦中ツイート

オリンピックをやる前提で動いている。ならば６／20の緊急事態宣言解除は出来ないのではないか？国民にろくな補償も出さず、杜撰な感染対策に終始しオリンピックをやり感染を拡大させたらどう責任を取るのでしょうか？亡くならなくて済んだ若者を増やすことになるのがわからないのか？と思います。

2021年6月10日 午後5：02

第4波渦中ツイート

病床6床追加しました。フェーズがあがったら、稼働の予定です。一人でも重症化を防ぐため早めに治療をして参ります。

第3波の「Go Toキャンペーン」と同じことを繰り返すのか

自院で6月1日からデルタ株を調べることにしました。その前まではアルファ株を調べていたのですが。ほぼ9割までアルファ株に入れ替わってしまったからです。

一部の国を除いて、入国に際し宿泊待機を求めないなど、政府は相変わらず緩い水際対策しかしていません。このまま五輪に突入するとアルファ株より強力だといわれるデルタ株が蔓延して大変なことになりかねません。

第5波に対する緊迫感は、医療機関では高まっています。しかし、財政的なバックアップが足りないので、それに備える医療体制を整えたくても難しいところがあります。

自治体の長はそれぞれ努力をしていると思いますが、政府が号令かけてやらない限りは、進まないでしょう。政府は終始予算はあると言いますが、きちんとした法律なり、確固たる財政的なバックアップがない状況で、個別の医療機関がリスクを超えて踏み出すにはなかなか難しい状況だと思います。

日本はコロナ対策に失敗したこの体制を修正しようとせず、そのままオリンピックに突き進んでいる感があります。政治家が、開催の是非を問われてＩＯＣに権限があるから知りません、と人ごとみたいでいるのはタチが悪いですよね。

医療現場の人間としては、春あたりまでは、オリンピックはどこかで中止という決断になるだろうと思っていたんですけれども、ずるずる誰も決断しないまま、6月17日には観客を1万人入れる方向で動きだしました。6月20日には緊急事態宣言も解除してしまいました。

東京で1日の感染者数が376人もいるなかでの解除です。第3波のＧｏ Ｔｏキャンペーンのときと一緒で、やるのを前提で動いているので、もうどうしようもないのでしょうか？

それで感染が増えるのはわかっていてやっているわけですから。責任の所在をはっきりして、感染が拡大し、死亡者が増えたらちゃんと責任をとっていただきたい、と言いたいです。でも、命は取り返しがつきませんから、責任のとりようはありませんよ。

2021年6月13日 午後5：07
第4波渦中ツイート

オリンピックの関係者にワクチンを打つのは反対しませんが、クラスターとなりうる福祉施設、障

害者施設にも早く打つのが当たり前です。お金と票に結びつくところだけ優先はやめていただきたい。クラスターとなりうるリスクと、健康を鑑み、リスクが高い所を優先して接種をさせてください。

2021年6月13日 午後9：07
第4波渦中ツイート

とても残念なことです。心よりご冥福をお祈りいたします。ワクチンを打ちたくない方は別ですが、打ちたくても打てない人がコロナにかかり亡くなった場合は怠慢であり人災です。確かなことですし、そこを最優先にすべきです。それが全て終わればオリンピック！

大阪の救急隊員が感染して亡くなった

大阪の救急隊員が6月2日にコロナに感染し亡くなっていたことが判明しました。第4波の医療崩壊の渦中で、患者さんのために身を粉にして走り回っていたのでしょう。ワクチンは1回しか打てていなかったようです。打たなくてはいけない方が打てないまま感染して亡くなってしまうというのは、人災であるとしか言いようがありません。

感染者数の多い都内や大阪の医療機関で働く人は本当に大変だと思いますし、とくに看護師と救急隊員の方は過酷な現場で働いていると思います。コロナ病棟で働く看護師や救急車に乗り込む救急隊員は、ウイルスを大量に出している患者さんと接触します。医師よりも危険な仕事をしてくださっていると思います。

ワクチンも打てていない状況で、ＩＣＵや救急車の中でずっと患者さんを見ていたら、体調だけでなく精神状態も崩しかねません。医療崩壊を起こしている地域では、救急車が感染した患者さんを何時間も乗せて待機しているという事例がいくつも報告されていました。

医療関係者、福祉関係者にワクチンを打つことは当然ですが、いい加減、そういうところに負担をかけないような仕組みを作るべきだし、危機的状況を迎える前に、感染者を増やさないようにすることがいちばん大事です。もう、そうしなければいけない段階に入っていると思います。

Column

第４波の教訓と対策

感染力が強い変異株（アルファ株）が猛威を振るった第４波。しかし、政府はこれまでの教訓を生かすことなく、多数の人命が失われることになった。今回、犠牲になったのは感染が一気に広がった大阪だ。人口規模が大きい東京よりも感染者数、死亡者数は多くなってしまった。検疫、早急な検査など第１波から課題とされていたことは、何も解決されていない。アルファ株の感染力の強さ、発症までの期間の短さなどの新たな特徴にも対応できなかった。早期治療で悪化させないメソッドが確立されている今、失われなくていい命を失わせてしまった、政府の無能無策が際立つ。また、大阪で極端に感染者数が増えたにもかかわらず、感染爆発が地域の医療体制の問題に矮小化され、次なる第5波への備えができなかった。

教訓

・変異株は従来株とはまったく違うウイルスと言っていい強い感染力を示し医療崩壊した
・検査の抑制、水際対策の軽視は危険
・発症から重症化までが早いので、自宅療養は危険
・大阪の感染状況を過小評価し、地域の医療体制の問題に矮小化された

対策

・五輪を控え、検査数を増やすこと、検疫体制の強化が必要
・医療崩壊を地域の問題とせず、政府が医療支援体制を見直すべき
・変異株の検索体制の速やかな構築を
・早期治療のために薬の供給体制を強化すること
・外来、自宅、ホテル療養での投薬治療ができる体制の構築が必要

第5波

「人命を本気で守ろうとしない政府」

2021年6月23日 午後7：22

第5波前ツイート

倉持仁

@kuramochijin

今のままではオリンピック前にまた緊急事態宣言が必要になる。タイミング的には最悪の開催。ワクチン供給も頭打ちで、インド株が確実に増える中、抗原検査など誤った対策を続けつつ、唯我独尊で突き進む。国民はもちろん、果たして選手たちの安全も…不安不信不備

2021年6月30日 午後5：22

第5波前ツイート

現状あちこちで感染拡大中今回は首都圏が危機。バラバラの対策でオリンピックで世界から人を集め感染は広がる。とはいえ、国民にのみ自粛を強要し私権の制限はできないのもイミフ。こ

んなグダグダ。安心安全て？言葉の意味理解してからしゃべった方が良い。やるべき事をやれ

医療が受けられない日本は戦争中よりひどい

7月12日に東京に緊急事態宣言が出されました。1日の感染者数が500人を超え、前回の解除から約3週間後の再発出というチグハグなもの。自分で使ってみて、効果的な投薬方法もわかってきましたしワクチンもあるので、今後はコロナで重症化するとか、命を落とすというのは、ありえないこと。そんな事態が起きたら、行政なり専門家の面々は責任を問われてしかるべきでしょう。

もし感染しても、早く病院に行ってちゃんと検査して治療を受けられれば、死ななくて済むはずです。しかし、やはり検査をしぶったり、診療できなかったり、結果的に自宅待機とか隔離してホテル療養で、治療なんかとても受けられない、CTも撮ってもらえない状況が当たり前になっています。

私は医療崩壊なんて最初からダメだと言っていますし、死ぬか死なないかを判断基準にしてはいけないと思います。やるべき医療をちゃんとやったうえで最後に力が及びませんでした、というのはしょうがないと思うんです。国際（人道）法では、戦争中でさえ医療関係者や施設はちゃんと保護されることになってるわけですよね。戦争をやっていても、けが人の手当てとかを絶対邪魔しちゃいけない話なんです。

それなのに今の日本では、自宅療養者にもホテル療養者にも薬の投薬はできないとか、肺炎の疑いがあってもCTが撮れないとか、とにかく医療行為ができないんです。戦争中以上の危険な状況

第5波に備えて、液体酸素も使えるように設備増強。これで大量の酸素投入が可能に。使わないに越したことはありませんが、医療は〝大事をとる〟ことが重要

に国民はさらされているんです。CTは移動式のものを使えば、病院に入院できない患者さんでも、速やかにCTを撮れるわけですし、そこで肺炎の所見があったらすぐに入院させられます。

投薬なら外来や往診という形でできますし、いくらでもやりようはあるはずなんですけど、第1波や第2波の反省もせず、第3波で患者さんが大量にあふれ出たにもかかわらず、今の第4波や第5波でも同じことをやろうとしています。反省と改善というのはいまの日本にはありません。

それをまずいと思っていないというのは、現実の認知能力や問題意識が欠落しています。今の政治はそれが悪いことだと思える感覚が欠落しています。国民の命、健康を守ろうという意識がそもそも希薄だとしか思えません。

そうこうしているうちに、デルタ株は当院で34例検査して、2例出ました。栃木県でも広がりつつあります。

7月3日には第5波に備え、通常の酸素投与に加え、液体酸素も使えるように設備増強しました！できれば使いたくないですが、ネーザルハイフローもできるようになりました。

２０２１年７月８日 午後０：００

第５波前ツイート

第１波から何も進歩せず、実効性のある対策：検査拡充、医療体制拡充、法整備（衝立、換気、マスク）せず、同じ事の繰り返し。さらにオリンピックをやるという。やるなら無観客は当然！オリンピックファミリーなどいらんからすぐハウス！

２０２１年７月10日 午後８：55

第５波前ツイート

入国時体制がザルのまま、関係者を受け入れる。誰がどう考えても無理筋。リーダーが愚かではどうにもならない。きちんと対策すればお手本になるオリンピックになったのに。誤った作戦を１年以上続けた挙句、仲間割れをし、グダグダで突入。ワクチン１本でいく、ってハウス！

人命を本気で守ろうとしていない政府

コロナによる肺炎治療に効果を発揮している点滴薬レムデシビルは、入院しないと使えません。その理由を厚労省に聞いてみました。海外から買ってきて数に限りがあるということが理由だそうです。それはちょっと違うと思うんですよね。

ちゃんと医療を受けられることを優先して、人命を失わせたくないのなら、早めに外来や自宅療養で使えるように手配すればいいだけの話なんです。患者さんの命がかかっているのだから。

オリンピックが重なって、緊急事態宣言を出しても、自粛のブレーキが利かなくなっているのは明らかです。そんな状況でワクチンを打って治療薬もあると言えば、抑制が利かなくなり感染爆発すると思うんです。

このままでは、今までで最大の感染になると思います。今までと違うのは、高齢者はワクチンを打てているので、重症化の年齢層が、40代から60代の活動的な年代で、まだワクチンを打ててない人たちになるわけです。これまでは、80代、90代の人たちは人工呼吸器やエクモを付けないで亡くなる方が多かった。実際にそういう治療を受けた人って2割に過ぎないんですね。

本日（7月18日）判明しましたが、7月12日以降で変異株の検査をしたところ、7名中、5名がデルタ株でした。あっという間に入れ替わっています。

2021年7月18日 午後9：54

第5波渦中ツイート

準備不足が全て。もう明日開会式して明後日閉会式にした方が良い。ちゃんと準備してこなかったＩＯＣ ＪＯＣの責任。

2021年7月19日 午後0：56

第5波渦中ツイート

バブル方式は選手1人1人をバブルで包まなければ意味がない。言っても無駄なのは百も承知ですが、コンビニにも六本木にも行けるのはバブルではありません。何処にも出かけずコロナにならなかった選手が金メダル取るのでしょう。ＩＯＣのコロナ過小評価が問題

重症化する年代が40代から60代の人たちにシフトすることで一見、これまでより亡くなる人が減るかもしれませんが、人工呼吸器とかエクモの治療を受けながら、回復まで長期間粘れるわけですね。そうなってくると、重症化する人が増えて滞留し、あっという間に病床も人手もひっ迫することになるでしょう。

本来はそれに気づいて、感染拡大をより早く抑えなければいけなかったのですが、第４波は東京はうまくやったよねということで油断して、感染爆発を許してしまっているのが現状です。

重症者でひっ迫して、オリンピックでさらに感染拡大して、そのまま秋に突入していくという最悪の事態が予想されます。

デルタ株は子供の感染例も増えており、それをなすすべもなく見守るしかない医療現場で働く人たちのやるせなさと、もし亡くなったときの責任感って言いますか、イヤですよね。若い人たちがみんな助けてくれって言いながら、死んでゆくような状況になってしまったら。

重症患者を何とかしないといけないとニュースで話題になっているのを見ると、ちょっとそこじゃないだろうと、腹が立ちます。そうなってから右往左往してても遅いというのはわかっているはずですが……。

2021年7月22日 午前11：43
第5波渦中ツイート

最近中国に行った方の話。空港に着くとすぐPCR、仕切られた通路からバス→ホテル。部屋からは一歩もでず　隔離期間14日のうちPCR4回　隔離解除後その地域で感染者が出たとのことで2回PCR　出国時も48h以内に検査しないと空港に入れない　データはWeChatで全て管理。全て無料　との事

2021年7月23日 午後1：04
第5波渦中ツイート

4連休中2日目の今日途中経過ですが、56件中8例陽性です。クラスターとかではなくおのおのです。陽性率14・2%これは持ちません。やはり、オリンピックの開会式なんかやってる場合ではない感じです。

五輪開会式前日、東京の知り合いから宇都宮にSOSの電話が

7月23日、東京五輪の開会式。全国の1日の感染者は4225人、東京の感染者数は1359人、全国の重症患者数は431人と感染拡大局面でオリンピックに突入しました。東京の知り合いから、友人がコロナに感染したけど、どこも診てくれるところがないから、なんとかならないかという電話がかかってきました。

救急車を呼んでもらって、空きのある病院を探しましたが、なんとか入院できるところを見つけることができました。今ならギリギリ空いている病院が見つかって、なんとか入れるかなという状況。それが五輪開会式前の状況でした。

ここまで感染を広げてしまうと、早期検査、早期治療とかいうレベルではなくなってしまい、医療にアクセスできなくなります。海外の医療のようになってしまうんです。海外の場合、国によりますが、お金が払えないからとか、そもそも病院がないからとかで医療にアクセスできないんです。外来でも投薬ができるように運用を変えてほしいとずっと言ってきたのに変わらない。薬が足りないとか、外来の医師が大変だからと言うのですが、そこをできるように体制を作るのが政府の仕事でしょう、と思います。野戦病院の建物を作るなり、医師に補助を出すなりして、点滴を打てる体制を作ればコロナは治ります。感染拡大前にそれをやれば、重症患者が増えるのを防げるんです。

2021年7月25日 午前8:55

第5波渦中ツイート

今のコロナ診療体制は軽ければ自宅でが当たり前だが、軽くても後遺症が残るケースは多い。肺炎があっても軽症だからと言ってほっておくと結構呼吸機能は障害されます。一人一人丁寧に見られる体制づくりが必要です。

この繰り返しを見るのは何回目？ 通常医療を制限し皆保険制度が崩壊する。国が皆保険制度を守らずして誰が守る？コロナ病床を増やさず、場当たり的に一般病床の転換作戦できた。困るのは患者であり、亡くならなくて良いはずの命が削り取られていく。いい加減にしてほしい。

流行のピークで急に病床を増やせとは何度同じ過ちを繰り返すのか！

五輪は始まったが状況はどんどん悪くなるいっぽうです。７月23日に当院でＰＣＲ検査をした43例を調べると31例、72％がデルタ株でした。栃木でもあっという間の入れ替わりです。ひどかった１月と状況が違う。１月より悪い。全国の感染者数は29日で１０６９７人。あっという間に１万人を超えてしまった。

医療現場の努力と治療薬のおかげでなんとか踏みとどまっています。流行のピークの時期になってやれ病床を増やせなんて、いまだにわかっていないのか！

事前に予算を組み、余裕を持った体制づくりを都も国も根本的には行っていない。通常医療にも影響が出始めています。

中国は病床をチマチマ増やすのではなく、一気に病院を作って一斉に治療をしました。日本は皆保険制度のはずなのに、中等床以下の人はまともな医療を受けられない。隔離さえできず治療薬もない。患者さんは放置されていて、そこで治らないのはわかっているのに……

2021年7月29日 午後8：49 第5波渦中ツイート

見て会議して延長。なんの反省もない。実効性のある対策、検査と隔離、治療薬を！今回はオリンピックという自粛しにくいイベントがついている。この一年以上にわたって何をしてきたのか！国民の多くが思っているよう、ほぼ何もしてこなかった！せめて今からでもやって！

2021年7月31日 午後7：34 第5波渦中ツイート

東京神奈川千葉埼玉の一都三県だけでも病院に入院できず、ホテルもしくは自宅にいる方が本日で37000人。3波の時の反省もなく、この国はまた国民皆保険制度を守らず、火遊びを優先した。その責任は重い！いつまでも、くだらない夢を見ず、とっとと現実を見よ、そして働く内閣だろ！　確か、、、

最悪の場合、エクモが必要になってしまいますが、エクモ治療ができる病床数は実質、発表している数の半分以下です。栃木県では、第4波でも受け入れができなくなって危なかったんですね。県は重症者用のベッドは約50床あると言っていますが、それはエクモ対応ができる県内の医師を、全員かき集めればできること。

それは現実的ではないんです。「重症者病床を増やせ」と言っている人がいるんですが、それは医

療の現場を知らない人が言っていること。空母は1隻持っているのにあと100隻買えと言っているのと一緒です。早期検査して早期治療すれば重症化しません。
なんどでも言います。

2021年7月31日 午後9：34
第5波渦中ツイート

せめて酸素吸入して、待機できる場所を至急コロナ病棟の空きスペースに作ります。外来でも点滴治療できる運用に一時的でよいので至急してください！お願いします、厚労省、菅総理大臣！
#お願いします菅総理

2021年8月1日 午後7：18
第5波渦中ツイート

東京、千葉、埼玉、神奈川の自宅およびホテル療養で医療を受けられない方、現時点で41991人

2021年8月2日 午後5：43
第5波渦中ツイート

抗体カクテル療法ロナプリーブ、添付文章にはないが、供給が安定しないため入院でしか使わないように、と厚労省からの通達。皆保険制度、指定感染症の枠を自ら逸脱してよいのか？入院の

何倍もの患者を自宅待機強要。問題解決に全力を尽くさなかった罪は重い。反省と改善を

2021年8月3日 午前0：04

第5波渦中ツイート

人工呼吸器できるベッドを1床作る事にしました。栃木県でさえ重症病床がすぐになくなりそうだから。数日の運用ですが私達にできることももうわずか。今は強い自粛と素早い検査治療。もはや無為無策責めても詮なし。自宅で亡くなるなどあってはならない！戦うぞ！自粛せよ

お祭り（東京五輪）をやっているうちに、首都圏で自宅療養やホテル療養で医療が受けられない人が4万人を超えてしまった。それなのに政府は無為無策を改めるどころか、開き直って自宅療養者を見捨てる政策を発表しました。

感染から7日くらいまでしか効果がないと言われていて、軽症者と呼吸不全がない肺炎患者までの適用にしている抗体カクテル療法は、入院でしか使えないという矛盾。なんとチグハグな。自宅療養者は入院できませんが、軽症者なら治るので外来で抗体カクテル療法を適用しますというのが本来の政策では？

ただ自宅にいてもらいますというのは、策ではありません。国民の命を軽視する政治に、もう怒りしかなくて、第1章で書いた話につながっていくわけです。

最後に次の章で、私が実践している治療法とその考え、そして患者放棄政策が、二度と起きない

ようにするにはどうすればいいのか、考えてみたいと思います。

第6章

新型コロナの早期治療法

「今後への備え方と国民皆保険制度を守るために」

倉持仁
@kuramochijin

現場の感染対策をしている大学の医者看護師長さんなどを入れたチームを作って対応すべき。今は忙しくて無理ですが、1年前からやっておけばできたこと。感染対策の実地経験や知識がない人が、知ったかぶりをして横行できる現状が問題。

非常に効果的な3剤セット

何度も書いているように、コロナは適切なタイミングで検査をして早期に治療すれば、もう治る病気なのです。改めて私が臨床で実績を積み重ねてきた治療法を紹介しましょう。ちなみにこの方法で、当院では260例ほど治療してきましたが、全員、重症化せずに治療を終えています。

重症化率は、0%です。

まずPCR検査で感染がわかったらCTを撮ります。肺炎のない方で基礎疾患がある方や、診療の結果、重症化する可能性があると判断した方には、抗体カクテル療法を施しています。

肺炎があれば入院してもらい、デキサメタゾン（デカドロン）という ステロイドと抗ウイルス薬のレムデシビルでしっかり治療して、そのあと、5日間でよくなったら投薬を止めるという方法です。5日目で薬を一回切って、数日見て悪化しなければ発症から10日目に退院になります。

退院後も外来のフォローアップをしています。これはほとんどの病院でやられていないことです。これは105ページで書いた後遺症のフォローのためでもありますが、コロナの〝ぶり返し〟に対応する意味もあります。コロナは一度治まったら、また2週間目から3週間目で悪化することがあります。そこでもう一回、合併症やリスク評価をしたうえで、ステロイドを使うのです。

ステロイドだけ使うと免疫反応を抑えるので感染症が悪化するというのは、一般的な常識です。しかし、コロナに関しては免疫抑制のリスクよりも、ウイルスがサイトカイン反応といって免疫暴走を起こして悪さをするほうがよくありません。そこで、もともとはリウマチの薬だったバリシチニブという、免疫暴走を抑えるJAK阻害薬も一緒に投与すると、症状は抑えることができます。バリシチニブは重症に近い人にはより効果的だと思います。

基本はレムデシビルとステロイドですが、それにバリシチニブの3剤がセットで、あとは酸素投与も組み合わせます。症例数を積み重ねて、このセットは非常に効果的だと実感しています。肺炎を起こしていても呼吸状態がそれほど悪くない状態なら、確実に治ります。

肺炎を発症していても早い段階で使えば大丈夫ですが、治療が遅れてしまうと肺炎が悪化し、重症化してしまいます。

第6波以降への備えで必要なこと

いま政府がワクチン政策を一生懸命進めています。たしかにワクチンは重症化を防ぐ効果が確実にありますが、一定程度の割合で抗体ができない人がいたり、効果を保つ期間が決まっていたりするなど課題も見えてきています。コロナ治療の経口薬ができるまでのあと半年くらいは、いまある薬による早期治療というのがスタンダードなものになるでしょう。

ただ今のように検査数が不足して感染者が街に放たれている状況では、一気に感染者が増えてしまい、医療にアクセスできない人や自宅待機者が一定数、出てしまいます。そうすると早期治療が難しくなります。やはり、検査数を増やし、感染が拡大する前に感染者を把握し、速やかな治療を行えるようにするべきです。それができたら、重症化する人数を減らすことができ、死亡者を増やさずに踏みとどまることができるでしょう。

検査数を増やさない日本のコロナの診療体制は非常に特殊であり、それがいまだに続いている面が非常に問題なのです。ほかの大多数の感染症は発症が疑われたら、早期に検査して診断して治療（場合によっては入院）するという流れができています。私は呼吸器内科医で、日本でいちばん肺炎の治療をしていた医師の一人だと思いますが、コロナによる肺炎はちゃんと検査をして、早めに治療を開始すると、むしろ普通の肺炎と比べても治りはいい印象なのです。

第6波以降への備えとしては、ワクチン一本足打法には限界があります。政府は、抗体カクテル療法を自宅療養者への往診にも使用可能にする方針を明らかにしました（9月15日）。それは必要なことですが、多数の感染者が出たときにそれぞれの患者宅を回っていたのでは効率が悪すぎます。

経口薬が実用化されるまで、臨時のコロナ対応病院を全国にいくつか作って、検査で把握できた陽性者には私が使ってきた薬か、抗体カクテル療法などを早期に使用していくべきです。それが無理なら、ホテル療養で早期治療ができる体制を広く作るべきです。

これまでの失敗を繰り返さないように、今度こそ、感染したらなるべく早く一度は、医師が診断できるような体制を構築していかなければなりません。

酸素飽和度など数字だけで病態を判断するのは危険

厚労省は、医療者向けの『新型コロナウイルス感染症　診療の手引き』という治療のガイドラインを作っています。また折に触れ、自治体向けに治療に関するガイドラインのような通達を出しています。一部の臨床経験のない感染症の専門医や自治体などは、これらのガイドラインに沿ってきっちりやろうとします。しかし、治療経験を重ねていくとこれらは、現場の感覚とずれていることがわかってきます。いくつか例を挙げていきます。

『診療の手引き』の中で、重症度を酸素飽和度で分類しています。単純化するために決めた数字の基準だけで動くのが医療ではありません。例えば酸素飽和度93以下だと中等症の重いカテゴリーか重症に分類されますが、それが当てはまらないことも多いんです。

酸素飽和度でいうと、厚労省が2021年1月28日に全国の自治体に向けて出した「自宅療養における健康観察の際のパルスオキシメーターの活用について」という文書があります。

ここでは（参考）として「神奈川県が酸素飽和度が93％以下になった場合には、電話による確認を行っています。自宅療養中の健康確認についてわかりやすいパンフレットを作成しています」と書かれています。第5波では、電話による確認くらいでは感染者の病状の進行を把握しきれなくて、自宅療養者が相次いで亡くなったことは、皆さんもご存じだと思います。

そもそも、私が診たところ酸素飽和度が高くて、数字上、軽症にカテゴライズされる人でも、肺炎になっている患者さんがいます。持病や生活習慣なども診て、この人は重症化リスクが高いと判断したら早めに治療に入らないといけない患者さんもいます。

私は患者さんの生活環境、たとえば独居だとか、息子、娘がよく面倒見てくれているとか、関係性が悪いとか、全部見たうえで治療に入ります。

数字だけで患者さんを判断するのは危険ですし、それは医療とは言えません。ここでも政府の臨床医療軽視、国民皆保険の崩壊の弊害が見えてきます。

2021年4月9日 午後9：26
第4波前ツイート

大事なことを書きますが、感染症の専門家は感染症学会の専門医だけではないですよ。詳しく知らない人ほど間違った認識を持っています。小児科医も、内科医も、外科医も、泌尿器科医も、血液内科も、膠原病科もそれぞれの領域の感染の専門家なんですよ。実際見てる人は！

臨床医の知見をもっと生かすべき

『新型コロナウイルス感染症 診療の手引き 第5・3版』では軽症者の特徴として冒頭で「特別な医療によらなくても経過観察のみで自然に軽快することが多い」と書かれています。軽症者が急激に悪化することは少なくはないのですが、冒頭にそのように書くことで、軽症者は治療の必要がないというメッセージに読み取れてしまいます。

手引き書の中で抗体カクテル療法の適用は、軽症と中等症Ⅰ（肺炎があっても呼吸不全がない）で重症化リスクがある人向けとされています。重症化のリスク因子に関しては肥満や高血圧、2型糖尿病などが挙げられています。しかし、肥満がないから重症化しません、糖尿病じゃないから重症化しませんっていうのも違う話です。実際にデルタ株の感染者は、基礎疾患がない30代～50代でも重症化する人が後を絶ちませんでした。重症化リスクも単純に線引きができるものではないのです。

治療薬に関しては、医療現場の判断に任せて自由に使えるようにすることが、重症患者を減らすことにつながるでしょう。抗体カクテル療法だけではなく、レムデシビルも外来で使用できるようにしていただきたいものです。

臨床経験を積み重ねた結果、早期に投薬するなど適切な治療をすれば、新型コロナは治せるという確信が持てるようになったのはこれまで書いたとおりです。今後はエビデンスをどう作っていくかが課題になります。ただ投薬の場合、完全なエビデンスを作るとなると、治療する人としない人の2群に分けて大量の治験をしないといけません。

これは時間もかかりますし、当然、人道的な問題も出てきます。高齢者で亡くなる方は、ワクチンの効果もあってか少し減ってきましたが、8月に入って30代、40代の死亡者が出るなど悠長なことは言っていられない状況が続きました。そういう状況では、治療のデータを集めてどれくらい効果があったか、なかったか、臨床データをレトロスペクティブ（過去にさかのぼって対象者の情報を集める方法）に集め、エビデンス化するしかありません。

我々、臨床医からしたらやることは決まっていて、患者さんにプラスになるかならないかだけです。治療のための判断基準はそれが変な話、ガイドラインから逸脱しようが、少々エビデンスから逸脱しようが、その患者さんにとってベストなことをするのが、臨床医のやるべきことなんです。そして患者さんにとってのベストは、患者さんによって違うんです。患者さんの病態とコロナの実態がわかっている、我々臨床医のデータをなるべく多く集めて論文化し、臨床的な治療マニュアルを作っていきたいと考えています。治療法をちゃんと普及させていきたいですね。

当院では、人口50万人の宇都宮市の感染者の約25％を診療しています。外来、入院患者ともたくさんの患者さんを診ていて、退院後の後遺症のフォローアップもしています。軽症患者をこのようにきちんと診ているところは少ないようです。

臨床医の立場から政府に言いたいことがあります。エビデンスが確立できていない、今回のような新しい感染症が流行した場合は、臨床医の知見をもう少し取り入れてほしい。そうすれば患者さん、国民にとってより有益な手引き書ができるのではないでしょうか。『新型コロナウイルス感染症診療の手引き』を製作する「診療の手引き検討委員会」に、臨床医をもっと加えていただけたら幸いです。

2021年8月28日 午後9：01

国立遺伝学研究所、東大医科学研究所、医科歯科大学、当院で遺伝情報と臨床情報と免疫の働き、疫学を一緒に今研究しています。次のラムダ株蔓延に備え、すぐ役に立つ研究結果を至急皆様に届けられるよう、各研究者現在取り組んでいます！臨床も研究も大切です！

本当に役に立つ医療を実現する研究所をつくる

臨床医としてキャリアを積んできた私ですが、どちらかというと、あいつはエビデンスもなくてテレビで勝手にしゃべっている医者だと思われているかもしれませんが、そんなことはありません。確かに我々はデータを集めてエビデンスを導き出す研究者ではないのですが、患者さんの治療の役に立つ視点で治療の実績を作っていくことが、エビデンスを作っていくことになると考えています。コロナでもそういう視点の医療で得た患者さんのデータは、最新の研究に役立てられています。

国立遺伝学研究所や、東大の医科学研究所や母校の東京医科歯科大学、製薬メーカーから声をかけていただき、研究を始めました。臨床で得たデータを生かせればと考えています。

今後は臨床医として得られる知見とデータを生かせる研究所を作り、科学的な研究をしていきたいと思っています。研究は大学病院だけでやるものではないんです。

日本では、民間の医療機関が作った研究所というのは、あまりなかったと思いますが、医者の立場として臨床も研究もちゃんとできて、データを集められるクリニックを目指したいと思っています。今は専門家と一般市民があまりにも分離していて、市民に役に立たない研究がいっぱいあるので、そこをつなぐ役割を担います。

特に最近の医療は、プラトー（作業や学習の進歩などが一時的に停滞し伸び悩むこと）状態になっていて、進歩がこれ以上ないところで停滞してしまっているんですね。ただ人の寿命を伸ばすだけではなくて、本当に役に立つのはどういう医療なのか追求していきたいですね。たとえば、これから高齢で孤独な人が増えていくことが考えられますが、そういう人たちがどのような形で健康を損なっていくかが見えれば、それに対応する薬の開発なども見えてきます。

孤独と健康の関係を研究

母校の東京医科歯科大学と組んで、コロナ禍における社会的孤立と孤独が心身の健康状態にどのような影響を与えるかという研究を行いました。その研究をまとめた論文が、2021年5月にオランダの医学雑誌に「日本のCOVID-19パンデミックにおける社会的孤立と孤独と慢性全身性炎症の相互作用」（※）というタイトルで掲載されました。

新型コロナの流行によって、ソーシャルディスタンスの確保や不要不急の外出自粛要請がなされた結果、多くの人が社会的孤立や孤独状態に陥りましたよね。そのことが人々の健康状態にどのような影響を与えているのか、非常に気になっていたのです。この研究で、とくに男性の孤立－孤独状態が、血液の慢性炎症レベルの上昇と関連していることがわかりました。

コロナ禍で抗体検査をやったときにアンケート調査を行い、一緒に抗体検査で採取した血液を調べました。その結果、男性においては社会的に孤立している人や家族がいない人、あるいは何らかのコミュニティに属していないで社会的に孤立している人は、そうではない人に比べて、炎症の数値が高く出ました。

感染症でもがんでも体内で炎症が起こりますから、これは何らかの病気が発症している、あるいは発症しやすくなっていることを示唆するデータです。要は社会的に孤立している人は病気になるリスクが高いことが見えてきたんです。病気を予防するためには、社会的な孤立をなくさないといけないことを示唆する論文です。孤立した人たちをちゃんと守っていくような政策を取っていけば、効率よく病気が抑えられるようになるのでは。医療と政治の連携が必要になりますが、これからは政治家や社会的な対策をやっていく方々にも提案をしていく機会を増やしていきたいですね。

ミュー株にワクチンは効かない？

ほかにも国立遺伝学研究所の川上浩一先生と複数のクリニックで協力して、昨年から今年にかけて、どの変異株がどこで増えたのか調べた報告を雑誌『科学』（岩波書店）7月号に発表しました。

東京大学医科学研究所のシステムウイルス学の佐藤佳先生との共同研究では、患者さんの血清からとった抗体の性質について調べています。9月8日には注目されている変異株・ミュー株に、ワクチン接種後や感染回復後の中和抗体（感染や重症化を防ぐ抗体）が効きづらいという、研究結果が発表されました。

※「Brain,Behavior,and Immunity」（May 2021）Interplay between social isolation and loneliness and chronic systemic inflammation during the COVID-19 pandemic in Japan : Results from U-CORONA study Copyright © 2021 Elsevier B.V. or its licensors or contributors. ScienceDirect ® is a registered trademark of Elsevier B.V.

これまでの変異株のなかでもいちばん効きが悪いとのことなので、感染動向に注意が必要だし、ますます検疫・検査体制の強化が必要だというメッセージになります。これからも役に立つ研究を進めていきたいと思います。

換気対策で法改正が必要

対策のレベルを全国一律に上げるためには、換気のあり方にも改善の余地があります。改善のためには、建築基準法を変えるべきです。建築基準法はいろんな事故や建物による健康被害が起きたときに、二度と同じことがないようにするため、改正を繰り返してきました。大地震後は耐震基準を変えましたし、シックハウス症候群など、化学物質が問題になったときも法律は変わりました。いまどの家にも24時間換気ができる設備を導入することが義務付けられていますが、それはシックハウスが問題になった後に法律が改正されたからです。

現在、厚労省が新型コロナ対策として発表している基準は、換気回数が毎時2回以上、必要換気量が毎時30㎥です。一方、建築基準法で定められている基準は、換気回数が毎時0・5回以上、必要換気量が毎時20㎥となっています。

デルタ株のような感染力の強い変異株が出てきた今、厚労省の基準を超えるものが必要になるでしょう。それに合わせて建築基準法を変えることで、人々を感染症から守る安全な施設や設備づくりの基準ができて、感染対策が全国一律で進むことになります。

換気の基準を変えることで、温度調節を含めた新しい換気システムの開発が必要とされますが、温度が下がらないような換気扇とかができれば、これは科学技術の進歩になるわけですよね。そういうものは国がバックアップしなければいけないし、法律の基準改正も含めて政治の力が必要なのです。政治家には本当は国会を閉めないで、早急にコロナ対策のための法改正を議論してほしい。すぐにでも議論を始めてほしいと思います。

2021年1月20日 午後8：40

第3波渦中ツイート

この問題の本質は皆保険制度を維持するのか、外国のように医療アクセスを悪くして、一定の人しか医療をうけられなくするのかの選択です。住む場所により受けられる医療に差が出ており問題。有事なら国全体で深刻に受け止め対応すべき。

2021年1月24日 午後1：14

第3波渦中ツイート

無理がかかり現場でできないことはやめる、は理解するが、必要なことはきちんと予算をとって至急やるべきです。前向きな体制構築や別の方法を考えることが大切です。医療においては権力や金があろうがなかろうが、みんながきちんとした医療を受けられるのが、皆保険制度です。守りましょう！

第1波からないがしろにされた国民皆保険制度

私は政府のコロナ対応でいちばん問題だったのは、国民皆保険制度を崩壊させてしまったことだと思います。健康保険に入っている国民ならどこにいても誰でも等しく医療を受けられる国民皆保険制度は、日本に残された数少ない優れた制度だと考えています。もちろん、何らかの事情で健康保険に入れない方も、憲法25条や、生活保護法15条などで医療を受ける権利を保障されています。

第1波では、医療現場や介護施設で感染し、治療も受けられずに亡くなった方が大勢いました。第3波からは軽症だからと自宅で放置され、容態が急変して亡くなった方が続出しました。そのなかでも第4波、第5波では変異株が猛威を振るい大量の自宅待機者が出ましたが、医療は提供されず20代から50代の若い世代が亡くなってしまいました。

27ページで書いたように、政府は早い時期から感染拡大時には、軽症者の自宅療養を原則としていました。国民皆保険は、それからずっとなかったことにされ、惨事を招いてしまったのです。

こうして、これまでの医療では当たり前のように行われてきた医療がコロナ禍ではできなくなりました。早く通常の医療ができるようにするべきです。つまり、医師の手に薬や器具といった医療資源をきちんと届けて、コロナであってもなくても患者さんを診療できるようにするべきです。政府は、自宅に放置されて医師の診療さえ受けられずに亡くなる患者さんが出ない政策を実行してください。

昨年度は医療費が最大幅で減ったという報道がありました。今の政府はまさにそういう方向に向かって動いていると思います。実際に医療崩壊が起ころうが、自宅待機者がいようが、そこで人が亡くなろうがお構いなしです。第1波から第5波までのコロナ対策とその結果からみると、明らかに菅前首相を始めとする政府の人たちは、そういう方向でよしとする政策をとってきてしまったように見えます。

先日取材を受けたCNNインターナショナルの記者は、なんで日本のような先進国で、欧米諸国より患者数が少ないのに10万人以上も自宅で放置されているんだと驚いていました。

国民の皆さんも今回のデルタ株による第5波のものすごい感染爆発で、医療崩壊の先にあるものがわかっていただけたと思います。結局感染者が増えすぎて病院や保健所に患者さんが殺到すると、人であふれて病院自体がロックダウンせざるをえなくなります。

そうなると困るのは医療現場ではなく、市民の皆さんです。特に経済的、社会的に弱い立場にいる人が医療を受けられなくなります。これは貧富の差で受けられる医療が変わってくる欧米の医療に近いものです。

医療というのは最低限のインフラだと思います。国民の命を守るのは政府の最低限の仕事ですよね。国としてやるべき最低限のことをしないで、菅前首相以下、担当の政治家や官僚、専門家らは、何の結果も出さないのに責任を取っていません。

これまで何度か指摘をしてきましたが、コロナ治療薬以外にも薬が足りなくなることがコロナ禍ではありました。特にジェネリック薬に関しては、国が薬価を下げることで利益が出ないので、製薬会社はみんな作りたがらない。結局、薬剤行政で効率化を目指した結果、国内のメーカーは手を引いてしまい、安定的な薬剤供給体制が維持できなくなりました。

それでも、従来はそれではまずい、ということで国が動いてなんとかしてきたんですよね。それがジェネリックの薬品からそうではない麻酔薬や抗がん剤まで一気に足りなくなりました。コロナの治療薬にしても、現場では効果があるとわかってもっと使用したいのに、国としての動きが非常に鈍い。治療が滞って患者さんに迷惑がかかるのは、いちばんしてはまずいことでしょう。

コロナ禍でどういう対策をとるかは、国家の能力を問われているところだと思うんですが、今までの日本ではありえなかったような感じの対応だと思ってしまいます。

自治体レベルでも国民皆保険制度を壊す政策がなされました。菅前首相や小池都知事が、重症者以外の自宅療養を打ち出す前に、軽症患者に自宅療養をさせる医療提供体制をとった神奈川県の「神奈川モデル」があります。中等症以上の患者を医療機関で救う体制のはずだったのですが、結局、8月からの感染者急増により、基礎疾患ありの軽症患者が重症化しても自宅放置され、亡くなる事例も発生しました。

コロナ禍の医療のあり方を見ていると、日本でも欧米型の貧富の差により、医療が受けられるかどうか選別される医療体制になってしまう可能性はあります。このまま国にお金もないからといって、国民皆保険をやめて個人の自由に任せるという考え方を、許していいのでしょうか。

感染しても医療が受けられない日本でいいのか

今回のコロナ禍では医療にアクセスできない人を大量に出してしまいました。この令和の世に医師の診断を受けないまま亡くなる方が続出するなんて、2020年以前に、いったい誰が想像できたでしょうか。しかし、元々、近年の医療費の抑制政策で、入院日数は短くなりましたし、患者さんの背景とか事情を考慮するきめ細かな医療ができなくなっていました。医者が患者さんのことを斟酌《しんしゃく》してすごく丁寧に診療をしてきましたが、診療報酬も増えませんので、なるべく効率的な医療をする傾向に変わってきていました。

もちろん、少子高齢化のなかで、医療の効率化は必要だと思いますが、それは医療の質を少しでも上げていくなかで行っていくものでしょう。本来は、そういう医療の質の見直しがされるべき時期にきていたと思うんです。ひたすら医療費を減らすだけではなく、やはり質を問うべきだったと思うんですよね。

コロナの重症患者を急に引き受けてほしいと言われても、そんなことができる余裕のある医療現場なんて、そもそもなかったんです。コロナの5年ぐらい前からそれが顕著でした。我々が外来で診て、この人は入院させないと亡くなってしまうという診断をした患者さんを病院に送っても「いや、これはまだ検査数値がこれくらいだったら大丈夫です」と言われて帰されてしまうなんていうのが日常茶飯事でした。それぐらい病床がひっ迫している状況だったんです。

今回のコロナ禍は、医療というのが我々日本人にとってどのくらい重要なものなのかということを国民一人ひとりに強く問うものだったのかもしれません。

感染してコロナと診断されても、軽症だと一回レッテルを貼られてしまえば、そのままずっと医療が受けられない。そのまま死んでしまう可能性だってある。そのことにずっと私は抗議をしてきました。いまも抗議をしながら、患者さんをそんな目に遭わせないように必死になってできることをしています。コロナ禍で国民皆保険をないがしろにした日本の政治姿勢というのは、その程度のレベルでしかないのでしょうか。本当にそれで皆さんいいんですか？　というのは、やっぱり問われる問題だろうと思います。

第7章

「地域で生きる臨床医としてできること」

倉持仁
@kuramochijin

予約にもかかわらず、会計に1時間以上お待たせしてしまいました。待ち時間の間にスタッフへとわざわざ買い出しに行き、差し入れをしてくださいました！ 暖かさ、優しさ、本当にありがとうございます！ これから、呼吸不全の方が運ばれてきます。絶対に治療を間に合わせます！

地域のために病児保育室をつくる

医療は典型的な内需産業です。地域の方に支持されないと生きていけません。このツイートをしたときも、第5波で患者さんが殺到して、患者さんを会計で待たせてしまったのに、その方はその間にわざわざスタッフにお菓子を買いに行って、差し入れしてくれたのです。

こんなことがあると、疲れていてももっと地域の皆さんのためにも頑張らなければと思います。私はコロナはじめ、普段の治療には全身全霊をかけて臨んでいますが、医療から派生したことでも地域のために何かできないかと、常に考えています。

最近、少し軌道に乗ってきたものに2019年9月に院内で始めた病児保育「ちびっこの保育園病児室」があります。これは院内保育園として、もともと職員用として作っていたものです。職員の子供を就業中に預かるというだけの小さな保育園でした。

そこにあるとき地元企業に務めるお父さんとお母さんがやってきたんです。5歳くらいだったか、障害を持って病気がちなお子さんがいて。どこの保育園に行っても断られてしまうといって悩んでおられました。預かってもらっても、1日1時間だけ。

そういう施設が足りないということだったら、じゃあそれを作ってしまえ、と思ったのです。子供が病気になったら預かれないと親御さんが困りますよね。病児保育だったら、クリニックで働く職員にとっても必要です。それで役に立つんだったらやってみようと。しかし、最初のころなかなか子供が集まらなくて大赤字でした。1年くらいたったら、宇都宮市から病児を引き受けてほしいと言われ、補助金が出るようになったので、なんとか回るようになりました。

職員用の保育園を作っていたのは、人手不足を解消するために医療業界の中で優位性を保ちたかったという事情もあります。女性は、医療業界でものすごく大事なポジションを占めています。女性のスタッフがいないと医療ができないんですから。保育もそうですよね。結婚や出産、介護で辞めてしまう人を少しでも減らして、せっかく積んだキャリアを生かしてほしかった。

保育園は何部屋かあって、職員用の院内保育園と、病気のお子さんを預かるスペースを分けています。病児保育室のほうでは、病気になっても、お母さんが仕事に行かなければいけないお子さんを預かっています。コロナ禍で一時期、子供を預ける人が減ったんですけど、最近は1歳くらいのお子さんの保育ニーズがすごく増えています。若いご夫婦が預けるとなると、費用的にも大変だと思うんですね。病児保育は市から補助金が出ても1日2500円くらいかかりますから。今は5日で費用が1万円以上になりますので、やっぱり若い人たちには厳しいかもしれません。シングルマザーで子育てをしている人も多いですし、このところシングルファーザーも増えているようです。費用のところはもう少し何とかしてあげたいですね。もうちょっとリーズナブルにする方法はないか、これから取り組むべき課題です。

院内の保育園では常時10人前後の保育士さんに働いていただいています。常勤の方が2人で非常勤の方がだいたい8人くらい。コロナがはやってから、保育士さんにとても助けられています。コロナ禍では当院も人手不足が極まったのですが、保育士さんに診療を手伝ってもらったんです。

子供がいるときには当然、保育園を見てもらうんですが、病児保育って、お子さんがいつ熱が出て、いつ下がるか読めないですし、その日に何人来るかとかもわからない。稼働率も、全国的にも5割に満たないぐらいです。だから、保育士さんの手が空いたときは、クリニックで診療補助についてもらったり、コロナの検査のサポートをしてもらったり。あるいは患者さんの受付をしてもらったりもしています。皆さん、すごく有能だし、ホスピタリティも高いし気も利くし、保育と医療は相性のいい業種で本人たちもやりがいを感じてくれているようです。コロナ禍の第1波のときは、保育園もあまり運営できなくて、パートの保育士で仕事を失った方もいたみたいですが、雇用をうまく生み出すことができたので、今後も柔軟にやっていけたらいいなと、思っています。

病院でできるお年寄りの生きがいづくり

いまはコロナで難しいのですが、通所リハビリのようなことにも取り組んできました。クリニックに通っていて、家族と疎遠になり孤立することで、身体機能が落ちてしまう患者さんがいます。少人数でも楽しめるようなスペースを院内に作って、そういう人たちにホームセンターに買い出しに行ってもらって、木や花を植えてもらっていました。それがとてもいいリハビリになるんです。

とても印象に残るおばあさんがひとりいました。その方は保育園を手伝ってくれていました。施設内に座っているだけなのですが、そこにおばあさんがひとりいるだけで子供が寄ってきて一緒に遊んだり、読み聞かせをしてくれたり。子供がとても喜んでいました。

コロナ禍で残念ながらやめてしまいました。そのおばあさんは、御主人が亡くなられてからやることがなくて、元気がなくなっていたのに、保育園では楽しそうにしてくれていたんです。生きがいがある人って、病気になりませんし元気なので、それを持ってもらうというのは、医者の仕事としては、すごく大事です。

高齢の患者さんで交通の便がなくて困っている人が、最近増えています。体の自由が利かなくなっていても、経済的に厳しいのかバスなどを利用して自力で通院して、大変苦労をされている方がたくさんいらっしゃいます。そういう方に送迎などのお手伝いをしたいのですが、そうすると、タクシー業界が困ったり、場合によっては患者さんを取られるほかのクリニックも困るかもしれません。でも大変な思いをしている人がいるので、なんとか誰からも文句が出ないような仕組みを作って、手助けしていきたいと考えています。

基本的に私はやって楽しいこと、人に元気を出してもらえることをするのが好きなので、こういうことは、自分自身でもやりがいを感じるんです。

警察医をしていた時、幼児を残し自死されたお母さんがいた。検視の時、なんで？どうにかできなかったのか？と刑事さんにも色々聞きましたが、現場は原因まで調べる余裕も役割もありませんでした。そんなことが続き3年で辛くてやめました。ポストコロナに向けてそれを防ぐ取り組みをしたいと思います。

孤立した高齢者や子供を元気づける事業はできないか

地域貢献を考えるのは父親の影響も受けていますが、大きいのは第3章で書いた警察医の体験です。コロナの前に3年間、警察医をやらせていただきましたが、さまざまなつらい場面に遭遇しました。当時は社会の矛盾とか裏側を目の当たりにして、どうにかしないと、と思いながら、なかば逃げ出すように辞めてしまいました。コロナが落ち着いたら取り組みたいことがたくさんあります。

警察医が向かうのは孤独死や自殺など、凄惨なものがほとんどです。その場に関わった人たち、主に家族は本当に深刻に受け止めていますし、自殺した方の家族は相当ダメージを受けます。でも、実際にどうしようもないなかで黙って生きている現実があって。そうなる前に歯止めをかけたり、遺族のダメージ解消のサポートができたりする仕組みが必要です。

愕然としたのは、自殺しようと思った人が死ぬ直前に電話をかけていたこと。役所がやっている相談の電話なんですが。その人がどうしようもなくて夜中にかけたら、その時間はもう受付をしていなくて、かけても「明日かけ直してくださいピー」みたいになっている。そのあと、自殺しているんです。携帯の履歴か何かでわかったらしいのですが、なんだ、これはと思うじゃないですか。そこをなんとかできないか。たとえばツイッターなどを使って、そういう相談の窓口を作り常に誰かが相談に乗ってくれるシステムを作る。コロナが収束したら、社会的な活動をもっとしていきたいなと考えていたときにふと思ったのは、この自殺の問題なんですね。

第3章で紹介しましたが、最高の医療を受けて、心臓ペースメーカー入れたばかりなのにゴミの山の中で亡くなっていた高齢の女性。横で妹さんがなすすべもなく座っていて。

ここにはいろんな問題が詰まっています。ゴミを片付けられないのはなぜなのか。誰がこういう人たちをケアするのか。なんでこの人を退院させたんだとか。そのときは、我々にできることはない、政治がやるしかないですって、警察所長さんに話していたんですが。こういうことをなくすためには一人ひとりができることをするしかない。

個々に頑張って支援をしている人がいますけど、根本的な解決になかなか向かわなくて。社会支援をやっている専門家に入ってもらい、僕は警察医の経験とかあって現実や問題点がわかっているので、そういうところをつなぐ役割が果たせると思います。

今、私がつくったPCR検査をやっている会社がありますが、コロナが収束したら検査のニーズもなくなるわけで、雇用したスタッフに手伝ってもらい、孤立した高齢者や子供を元気づけるような事業をしたい。

2021年9月2日 午後8：57

コロナにかかった外国の元患者さんにパートで通訳をお願いしました。患者さんも医療者もスムーズにコミュニケィションが取れて安心です。今回のコロナで日本で働いてくださっている沢山の海外の方々がいる事を知りました。また、とてもありがたい事です。日本に住むすべての人に医療をきちんと！

外国籍の方に頼みたい仕事

あと考えているのは、外国の人たちをサポートすることです。第3章で書いたとおり、栃木県は大手製造業の工場が多く、海外から来て働いている労働者の方がいます。コロナの患者さんにも外国人の方が多いのですが、今回、仕事を失ってしまった人が続出しました。そんな患者さんと、診察したときに話したら、日本語も上手ですしインテリジェンスが高い方がたくさんいらっしゃる。祖国の大学を出ている人もいて、彼らに通訳を頼もうと考えているんです。医療通訳です。

感染爆発で患者さんが増えてくると、日本語があまり上手ではない人も多くなってきます。当然ですが、言葉が通じないと、医師も患者さんも不安になるんです。グーグル翻訳の音声機能にはない国の言語を使う方もいますから。やはり患者さんは言葉がちゃんと通じて、毎日顔を見て話していると安心してくれます。医療ではそれが非常に重要で、どうしようか悩んでいました。何人かこれまで自院にかかった、日本語ができる外国籍の方に聞いてみたら喜んでやりたいと言ってくれました。

「お金もないし、仕事もないからお願いします」って。そうして今、何人か確保して5カ国までは対応できるようになっています。

英語、中国語、韓国語からもっと広げてフィリピン、インドネシア、ネパールやパキスタンぐらいまで対応できるようになれたらいいと思っているんですが。通訳者となるとなかなかいないでしょうけど、じつはそういう国の人って日本にたくさんいて、長くいる人は日本語も話せる。東京でもそういう能力と需要をつなぐ仕事ができれば、雇用も生み出せるかもしれませんよね。

栃木にいると、製造業は本当に海外の人の力に支えられていると感じます。そういう人たちと仲良くやっていかないと今後の日本は立ち行かないでしょう。せっかく仕事で日本に来た方々が活躍できるような場を作れれば、これからも人材は日本にやってくるし、そういう形で社会の役に立てるサポートをしていきたいですね。

地域住民への貢献を考える

コロナとは関係ないのですが、第3波のあと、今年の4月に子供の便秘に対応する小児専門外来を開設しました。これもまた時期も含めて、大変な試みをしたものだと思われるかもしれません。小児科は採算を取りにくいので、病院も減っていますし、医師のなり手もなかなかいません。コロナ禍で病院の経営が苦しくなったときだからこそ、医師も確保できたのかもしれません。

便秘外来というのは、たまたまその専門の先生が確保できたということもあるのですが、一般のお子さんでも便秘に困っている子供が多いので、そこに対応できますよ、と告知するために打ち出しました。小児科は標榜科としては掲げていなかったけど、小児ぜんそくの患者さんなどは診ていたのです。ただ専門の医師はいないと標榜はしにくいので。実際、小児科は減っていてそれは地域にとってもよくないことですし、病院としては幅を広げたいというのがありました。小児科は利益という面では厳しいかもしれませんが、専門の先生に診てもらえることは住民にとって安心につながると思うんですね。

地域住民への貢献でいうと、父親のやり方は尊敬できますが、まねはできません。昔は90歳以上のお年寄りは診療してもタダにしてあげたり。お金がない人にはお弁当を買って持たせたりしていたようです。いまそういうことをするのは難しいかもしれませんが、父は自分の信念を貫いてできることをやっていて、尊敬に値することだと思います。自分も幸い、医師としてちゃんと生活はできるようになれたので、自分の経験を生かして他業種を侵食することなく、みんながやらないようなところで社会の役に立ちたいという思いがあります。それが利益を出さなくても赤字にならない程度で、雇用も生めるビジネスになっていければいいのかなと思うんですよね。

やはり現代は孤立している人が多いので、そういう人たちをつなぐコミュニティみたいなものを作っていきたい。昔は自治会や市のコミュニティセンター、あるいは学校のＰＴＡや病院もそういう役割を担っていたでしょう。今はそういうものがなくなりつつあります。

また病院がそういう場になってもいいのですが、何か社会的な拠点になるような仕組み作りもしていければいいと思います。

「わくわくできて人の役に立つことを」

2021年9月10日 午前9：25
第5波渦中ツイート

倉持仁
@kuramochijin

自費検査の陽性率　自費の検査に公費で受けられなかった方が入った結果7月1・7％　8月3・8％　9月5・2％と上がっています。公費で受けられる検査を絞り、自費で検査を余儀なくされている状況。ＰＣＲ検査数が足りない状況。保険点数下げてでもＰＣＲやらなきゃダメ！

気になる動きがあります。自費検査の陽性率が8月より9月が上がっているのです。9月に入って感染者が減っているのにこういう結果が出ているのは、公費による検査が足りていない可能性があります。また、緊急事態宣言が解除されていない時点で、行動制限緩和の議論が盛んになっています。

第1波から第5波で繰り返した過ちと、同じ道を歩んでいるような気がしてなりません。

警察庁の発表によるとコロナに感染し、医療機関以外の自宅などで体調が悪化して亡くなった人が、2021年8月だけで250人にのぼりました。前月の約8倍に急増し、1カ月間でもっとも多い数です。50代以下の若い世代がおよそ半数を占めていました。

早期診断で重症化を防ぐ治療法が確立されているわけですから、まず検査、診断、治療という通常の医療体制をきちんと構築する。それから経済活動を再開しないと、感染拡大、死亡者増、緊急事態宣言という無限ループから抜けられません。

コロナ禍では、国民皆保険制度が破壊され、自宅で放置されて医療が受けられずに人々がどんどん亡くなっていく現実がありました。

私は日本で残された、数少ない優れた制度である国民皆保険制度が危機にさらされていると思います。その制度を守るのか、外国のように医療アクセスを悪くして、お金のある一定の人しか医療を受けられなくして、あとは勝手にしろという制度にするのか。コロナ禍で我々国民にはその選択が突き付けられています。

これまでの政府や自治体の動きを見て、医療に関しても政治の影響がとても大きいのだとみんな気づいたと思うんですね。こういうパンデミックでは、個人でできることには限界もあって政治の大切さが身に染みてわかったという状況です。自分の命や生活を守るために選挙に行って、政党問わず国民の命を守るために働く政治家を、選ばないといけません。

2020年10月29日 午後10：06
第5波ツイート

信念なんですが、必要としてくださるなら、ワクワクしてやる気が出てきます。それも、応援し温かいお言葉をかけてくださる皆様がいるからできるんです。援軍、サポート、思い、本当にありがとうございます!!

私の行動の基準になっているのは、その行動が人の役に立つことか、自分がワクワクできることかどうかです。私はコロナ禍前、病院の敷地の中に、地域の子供たちも遊べるキャンプ場を作ったり、トウモロコシ畑を作ったり、カブトムシの飼育をする会社を立ち上げたりしてきました。

いまその敷地は、コロナ患者さんの病棟になっています。コロナ禍が収まるまでは、もう少し時間がかかるかもしれませんが、いつかまた子供や地域の人たちが喜ぶ事業を、再開したいと思います。

その国や国民の偉さや強さって、弱い人をいかに守れているかだと、私は強く思うんです。

私は警察医時代、悲惨な状況にある人を目の前にして、何もできずに逃げ出しました。いまはコロナ禍でさまざまな活動をして、医師としての幅も広がりました。テレビやSNSで発信力も付きましたから、そういう立場を社会性がある仕事で生かせるように、もう一度チャレンジしたいと考えています。

最後までお読みいただき、本当にありがとうございました。読者の皆様も感染に気を付けて、健康にお過ごしください。

カバー写真／田山達之
取材・構成／和田秀子、泉町書房
ブックデザイン／IWASHI

倉持仁 | コロナ前 論文

Lung cancer in chronic hypersensitivity pneumonitis.
Kuramochi J, Inase N, Miyazaki Y, Kawachi H, Takemura T, Yoshizawa Y.Respiration. 2011;82(3):263-7. doi: 10.1159/000327738. Epub 2011 May 31.PMID: 21625073 Free article.

Detection of indoor and outdoor avian antigen in management of bird-related hypersensitivity pneumonitis.
Kuramochi J, Inase N, Takayama K, Miyazaki Y, Yoshizawa Y.Allergol Int. 2010 Jun;59(2):223-8. doi: 10.2332/allergolint.09-OA-0161. Epub 2010 Apr 24.PMID: 20414051

The amount of avian antigen in household dust predicts the prognosis of chronic bird-related hypersensitivity pneumonitis.
Tsutsui T, Miyazaki Y, Kuramochi J, Uchida K, Eishi Y, Inase N.Ann Am Thorac Soc. 2015 Jul;12(7):1013-21. doi: 10.1513/AnnalsATS.201412-569OC.PMID: 26010749

Clinical features of the 2009 swine-origin influenza A (H1N1) outbreak in Japan.
Takayama K, Kuramochi J, Oinuma T, Kaneko H, Kurasawa S, Yasui M, Okayasu K, Ono H, Inase N.J Infect Chemother. 2011 Jun;17(3):401-6. doi: 10.1007/s10156-010-0187-9. Epub 2010 Dec 21.PMID: 21174141 Free PMC article.

Comparative effects of topiroxostat and febuxostat on arterial properties in hypertensive patients with hyperuricemia.
Kario K, Nishizawa M, Kiuchi M, Kiyosue A, Tomita F, Ohtani H, Abe Y, Kuga H, Miyazaki S, Kasai T, Hongou M, Yasu T, Kuramochi J, Fukumoto Y, Hoshide S, Hisatome I.J Clin Hypertens (Greenwich). 2021 Feb;23(2):334-344. doi: 10.1111/jch.14153. Epub 2021 Jan 5. PMID: 33400348 Free article. Clinical Trial.

| コロナパンデミック後 論文

Seroprevalence of SARS-CoV-2 in Utsunomiya City, Greater Tokyo, after the first pandemic in 2020.
Nawa N, Kuramochi J, Sonoda S, Yamaoka Y, Nukui Y, Miyazaki Y, Fujiwara T.J Gen Fam Med. 2020 Dec 16;22(3):160-162. doi: 10.1002/jgf2.408. eCollection 2021 May. PMID: 33977017 Free PMC article.

Estimation of the Total Number of SARS-CoV-2-infected Individuals and the Necessary Tests and Cost during the First Wave of the COVID-19 Pandemic in Japan.
Nawa N, Tebi D, Kuramochi J, Fujiwara T.J Epidemiol. 2021 Aug 12. doi: 10.2188/jea.JE20210197. Online ahead of print.PMID: 34380919 Free article. No abstract available.

Interplay between social isolation and loneliness and chronic systemic inflammation during the COVID-19 pandemic in Japan: Results from U-CORONA study.
Koyama Y, Nawa N, Yamaoka Y, Nishimura H, Sonoda S, Kuramochi J, Miyazaki Y, Fujiwara T. Brain Behav Immun. 2021 May;94:51-59. doi: 10.1016/j.bbi.2021.03.007. Epub 2021 Mar 9. PMID: 33705870 Free PMC article.

Validity of Clinical Symptoms Score to Discriminate Patients with COVID-19 from Common Cold Out-Patients in General Practitioner Clinics in Japan.
Sonoda S, Kuramochi J, Matsuyama Y, Miyazaki Y, Fujiwara T.J Clin Med. 2021 Feb 19;10(4):854. doi: 10.3390/jcm10040854.PMID: 33669685 Free PMC article.

Association between Social Integration and Face Mask Use Behavior during the SARS-CoV-2 Pandemic in Japan: Results from U-CORONA Study.
Nawa N, Yamaoka Y, Koyama Y, Nishimura H, Sonoda S, Kuramochi J, Miyazaki Y, Fujiwara T.Int J Environ Res Public Health. 2021 Apr 28;18(9):4717. doi: 10.3390/ijerph18094717. PMID: 33925191 Free PMC article.

倉持　仁　くらもち じん

1972年栃木県宇都宮市生まれ。宇都宮高校を経て1998年東京医科歯科大学医学部医学科卒業、2010年大学院卒業。東京医科歯科大学医学部附属病院呼吸器内科などで過敏性肺炎（間質性肺炎）の研究臨床に従事。2015年10月インターパーク倉持呼吸器内科クリニック院長。2020年3月よりコロナ問題の専門家としてテレビ出演開始。ツイッター開始。6月東京医科歯科大学との共同研究により宇都宮市無作為抽出コロナウイルス抗体調査。8月ツイッター上でコロナ発熱外来サポートデスク開設、9月コロナ感染者フォローアップ外来を開始、11月国立遺伝学研究所と共同研究を開始。21年1月PCRセンター宇都宮稼動。2月コロナ入院病床開設。6月東京大学医科学研究所と共同研究開始。8月コロナ外来病床開設。YouTubeチャンネル開設。9月重症コロナ患者用病床開設。

倉持 仁の「コロナ戦記」
早期診断で重症化させない医療で
患者を救い続けた闘う臨床医の記録

2021年10月14日　初版第1刷発行
2022年 3月 3日　　第3刷発行

著　者　　倉持 仁
発行者　　斎藤信吾
発行所　　株式会社　泉町書房
〒202-0011
東京都西東京市泉町5-16-10-105
電話・FAX　042-448-1377
Mail　mail:contact@izumimachibooks.com
HP　http://izumimachibooks.com
印刷・製本　モリモト印刷株式会社

ISBN　978-4-910457-01-7　C0036